Developing Chinese

Chinese

第二版
2nd Edition

Advanced Speaking Course

高级口语

（I）

王淑红　编著

北京语言大学出版社
BEIJING LANGUAGE AND CULTURE
UNIVERSITY PRESS

Developing
Chinese 第二版
2nd Edition

编写委员会

主　编：李　泉

副主编：么书君　　张　健

编　委：李　泉　　么书君　　张　健　　王淑红　　傅　由　　蔡永强

编辑委员会

主　任：戚德祥

副主任：张　健　　王亚莉　　陈维昌

成　员：戚德祥　　张　健　　苗　强　　陈维昌　　王亚莉

　　　　王　轩　　于　晶　　李　炜　　黄　英　　李　超

总前言

  《发展汉语》（第二版）为普通高等教育"十一五"国家级规划教材。为保证本版编修的质量和效率，特成立教材编写委员会和教材编辑委员会。编辑委员会广泛收集全国各地使用者对初版《发展汉语》的使用意见和建议，编写委员会据此并结合近年来海内外第二语言教学新的理论和理念，以及对外汉语教学和教材理论与实践的新发展，制定了全套教材和各系列及各册教材的编写方案。编写委员会组织全体编者，对所有教材进行了全面更新。

适用对象

  《发展汉语》（第二版）主要供来华学习汉语的长期进修生使用，可满足初（含零起点）、中、高各层次主干课程的教学需要。其中，初、中、高各层次的教材也可供汉语言专业本科教学选用，亦可供海内外相关的培训课程及汉语自学者选用。

结构规模

  《发展汉语》（第二版）采取综合语言能力培养与专项语言技能训练相结合的外语教学及教材编写模式。全套教材分为三个层级、五个系列，即纵向分为初、中、高三个层级，横向分为综合、口语、听力、阅读、写作五个系列。其中，综合系列为主干教材，口语、听力、阅读、写作系列为配套教材。

  全套教材共28册，包括：初级综合（Ⅰ、Ⅱ）、中级综合（Ⅰ、Ⅱ）、高级综合（Ⅰ、Ⅱ），初级口语（Ⅰ、Ⅱ）、中级口语（Ⅰ、Ⅱ）、高级口语（Ⅰ、Ⅱ），初级听力（Ⅰ、Ⅱ）、中级听力（Ⅰ、Ⅱ）、高级听力（Ⅰ、Ⅱ），初级读写（Ⅰ、Ⅱ），中级阅读（Ⅰ、Ⅱ）、高级阅读（Ⅰ、Ⅱ），中级写作（Ⅰ、Ⅱ）、高级写作（Ⅰ、Ⅱ）。其中，每一册听力教材均分为"文本与答案"和"练习与活动"两本；初级读写（Ⅰ、Ⅱ）为本版补编，承担初级阅读和初级写话双重功能。

编写理念

  "发展"是本套教材的核心理念。发展蕴含由少到多、由简单到复杂、由生疏到熟练、由模仿、创造到自如运用。"发展汉语"寓意发展学习者的汉语知识，发展学习者对汉语的领悟能力，发展学习者的汉语交际能力，发展学习者的汉语学习能力，不断拓展和深化学习者对当代中国社会及历史文化的了解范围和理解能力，不断增强学习者的跨文化交际能力。

  "集成、多元、创新"是本套教材的基本理念。集成即对语言要素、语言知识、文化知识以及汉语听、说、读、写能力的系统整合与综合；多元即对教学法、教学理论、教学大纲以及教学材料、训练方式和手段的兼容并包；创新即在遵循汉语作为外语或第二语言教学规律、继承既往成熟的教学经验、汲取新的教学和教材编写研究成果的基础上，对各系列教材进行整体和局部的特色设计。

教材目标

总体目标：全面发展和提高学习者的汉语语言能力、汉语交际能力、汉语综合运用能力和汉语学习兴趣、汉语学习能力。

具体目标：通过规范的汉语、汉字知识及其相关文化知识的教学，以及科学而系统的听、说、读、写等语言技能训练，全面培养和提高学习者对汉语要素（语音、汉字、词汇、语法）形式与意义的辨别和组配能力，在具体文本、语境和社会文化规约中准确接收和输出汉语信息的能力，运用汉语进行适合话语情境和语篇特征的口头和书面表达能力；借助教材内容及其教学实施，不断强化学习者汉语学习动机和自主学习的能力。

编写原则

为实现本套教材的编写理念、总体目标及具体目标，特确定如下编写原则：

（1）课文编选上，遵循第二语言教材编写的针对性、科学性、实用性、趣味性等核心原则，以便更好地提升教材的质量和水平，确保教材的示范性、可学性。

（2）内容编排上，遵循第二语言教材编写由易到难、急用先学、循序渐进、重复再现等通用原则，并特别采取"小步快走"的编写原则，避免长对话、长篇幅的课文，所有课文均有相应的字数限制，以确保教材好教易学，增强学习者的成就感。

（3）结构模式上，教材内容的编写、范文的选择和练习的设计等，总体上注重"语言结构、语言功能、交际情境、文化因素、活动任务"的融合、组配与照应；同时注重话题和场景、范文和语体的丰富性和多样化，以便全面培养学习者语言理解能力和语言交际能力。

（4）语言知识上，遵循汉语规律、汉语教学规律和汉语学习规律，广泛吸收汉语本体研究、汉语教学研究和汉语习得研究的科学成果，以确保知识呈现恰当，诠释准确。

（5）技能训练上，遵循口语、听力、阅读、写作等单项技能和综合技能训练教材的编写规律，充分凸显各自的目标和特点，同时注重听说、读说、读写等语言技能的联合训练，以便更好地发挥"综合语言能力＋专项语言技能"训练模式的优势。

（6）配套关联上，发挥系列配套教材的优势，注重同一层级不同系列平行或相邻课文之间，在话题内容、谈论角度、语体语域、词汇语法、训练内容与方式等方面的协调、照应、转换、复现、拓展与深化等，以便更好地发挥教材的集成特点，形成"共振"合力，便于学习者综合语言能力的养成。

（7）教学标准上，以现行各类大纲、标准和课程规范等为参照依据，制订各系列教材语言要素、话题内容、功能意念、情景场所、交际任务、文化项目等大纲，以增强教材的科学性、规范性和实用性。

实施重点

为体现本套教材的编写理念和编写原则，实现教材编写的总体目标和具体目标，全套教材突出了以下实施重点：

（1）系统呈现汉语实用语法、汉语基本词汇、汉字知识、常用汉字；凸显汉语语素、语段、语篇教学；重视语言要素的语用教学、语言项目的功能教学；多方面呈现汉语口语语体和书面语体的特点及其层次。

（2）课文内容、文化内容今古兼顾，以今为主，全方位展现当代中国社会生活；有针对性地融入与学习者理解和运用汉语密切相关的知识文化和交际文化，并予以恰当的诠释。

（3）探索不同语言技能的科学训练体系，突出语言技能的单项、双项和综合训练；在语言要素学习、课文读解、语言点讲练、练习活动设计、任务布置等各个环节中，凸显语言能力教学和语言应用能力训练的核心地位。并通过各种练习和活动，将语言学习与语言实践、课内学习与课外习得、课堂教学与目的语环境联系起来、结合起来。

（4）采取语言要素和课文内容消化理解型练习、深化拓展型练习以及自主应用型练习相结合的训练体系。几乎所有练习的篇幅都超过该课总篇幅的一半以上，有的达到了2/3的篇幅；同时，为便于学习者准确地理解、掌握和恰当地输出，许多练习都给出了交际框架、示例、简图、图片、背景材料、任务要求等，以便更好地发挥练习的实际效用。

（5）广泛参考《汉语水平等级标准与语法等级大纲》（1996）、《汉语水平词汇与汉字等级大纲》（2001）、《高等学校外国留学生汉语言专业教学大纲》（2002）、《国际汉语教学通用课程大纲》（2008）、《欧洲语言共同参考框架：学习、教学、评估》（中译本，2008）、《新汉语水平考试大纲（HSK1—6级）》（2009-2010）等各类大纲和标准，借鉴其相关成果和理念，为语言要素层级确定和选择、语言能力要求的确定、教学话题及其内容选择、文化题材及其学习任务建构等提供依据。

（6）依据《高等学校外国留学生汉语教学大纲（长期进修）》（2002），为本套教材编写设计了词汇大纲编写软件，用来筛选、区分和确认各等级词汇，控制每课的词汇总量和超级词、超纲词数量。在实施过程中充分依据但不拘泥于"长期进修"大纲，而是参考其他各类大纲并结合语言生活实际，广泛吸收了诸如"手机、短信、邮件、上网、自助餐、超市、矿泉水、物业、春运、打工、打折、打包、酒吧、客户、密码、刷卡"等当代中国社会生活中已然十分常见的词语，以体现教材的时代性和实用性。

基本定性

《发展汉语》（第二版）是一个按照语言技能综合训练与分技能训练相结合的教学模式编写而成的大型汉语教学和学习平台。整套教材在语体和语域的多样性、语言要素和语言知识及语言技能训练的系统性和针对性，在反映当代中国丰富多彩的社会生活、展现中国文化的多元与包容等方面，都做出了新的努力和尝试。

《发展汉语》（第二版）是一套听、说、读、写与综合横向配套，初、中、高纵向延伸的、完整的大型汉语系列配套教材。全套教材在共同的编写理念、编写目标和编写原则指导下，按照统一而又有区别的要求同步编写而成。不同系列和同一系列不同层级分工合作、相互协调、纵横照应。其体制和规模在目前已出版的国际汉语教材中尚不多见。

特别感谢

感谢国家教育部将《发展汉语》（第二版）列入国家级规划教材，为我们教材编写增添了动力和责任感。感谢编写委员会、编辑委员会和所有编者高度的敬业精神、精益求精的编写态度，以及所投入的热情和精力、付出的心血与智慧。其中，编写委员会负责整套教材及各系列教材的规划、设计与编写协调，并先后召开几十次讨论会，对每册教材的课文编写、范文遴选、体例安排、注释说明、练习设计等，进行全方位的评估、讨论和审定。

感谢中国人民大学么书君教授和北京语言大学出版社张健副社长为整套教材编写作出的特别而重要的贡献。感谢北京语言大学出版社戚德祥社长对教材编写和编辑工作的有力支持。感谢关注本套教材并贡献宝贵意见的对外汉语教学界专家和全国各地的同行。

特别期待

○ 把汉语当做交际工具而不是知识体系来教、来学。坚信语言技能的训练和获得才是最根本、最重要的。

○ 鼓励自己喜欢每一本教材及每一课书。教师肯于花时间剖析教材，谋划教法。学习者肯于花时间体认、记忆并积极主动运用所学教材的内容。坚信满怀激情地教和饶有兴趣地学会带来丰厚的回馈。

○ 教师既能认真"教教材"，也能发挥才智弥补教材的局限与不足，创造性地"用教材教语言"，而不是"死教教材"、"只教教材"，并坚信教材不过是教语言的材料和工具。

○ 学习者既能认真"学教材"，也能积极主动"用教材学语言"，而不是"死学教材"、"只学教材"，并坚信掌握一种语言既需要通过课本来学习语言，也需要在社会中体验和习得语言，语言学习乃终生之大事。

李　泉

编写 说明

适用对象

《发展汉语·高级口语》（I）是《发展汉语·中级口语》（II）的晋级衔接教材。适合学过《发展汉语·中级口语》（II）或与此程度相当的课本，具有中级汉语水平，已掌握初、中级汉语语法和3500–4000词汇的汉语学习者使用。

教材目标

训练和提高学习者高级口语综合表达能力及在社会生活中的交际能力。具体如下：

（1）能恰当地选择相关的词汇和言语方式，表达自己的思想感情。

（2）能使用较为地道的口语表达方式，进行得体的语言表达。

（3）能就社会生活中的广泛话题进行对话、交流，能完整、自然地表达自己的想法，有较强的话语语篇表达能力。

（4）初步形成用汉语进行思维的习惯。

特色追求

（1）内容注重时代性、趣味性、广泛性。

从学习者的需求、兴趣和能力出发，选取当代社会生活的热门话题和热点问题，广泛涉及社会生活、人文科学、社会科学的各个方面，既注重中国国情、中国文化，也注意选择具有人类文化通感的话题，力求多角度、多侧面地呈现同一话题的不同观点，激发学习者的表达欲望，并为表达创造条件和氛围。

（2）课文注重典范性、多样性、可复制性。

注重口语的地道、规范和示范作用。注重词汇、句式的多样化输入方式。通过口语技能的学习和训练，使学习者能够把所学内容和技能运用到其他相同或相近的话题和情境中，并进行创造性的口语表达。

（3）活动注重成就感、任务型、灵活性。

遵循"小步快走"的编写理念，课文采取分段式，控制课文的长度和难度，以便于增强学习者的兴趣和成就感。课堂活动与任务设计力求体现层次性和梯度感，以便于学习者对语言技能的掌握和自然运用。参与性练习、任务型练习和自主性学习相结合，以便于增加教材活动和练习的灵活性。

使用建议

（1）本书共15课，建议每课用4课时完成。

（2）"表达方式"为重点训练的语法项目、功能项目和口语格式，建议根据需要讲解或操练，灵活使用。

（3）"主题课文"分段式设计，提供不同信息点，可根据具体情况有选择地学习，或安排集体学习、分组学习或提前自学等。

（4）"课堂活动和任务"从词汇、句式到语段，且先结合课文，后结合学习者生活实际，即实现一个先学习怎么说而后自由表达的过程，建议与课文内容结合，随学随练，充分体现教材的灵活性和学生的自主性。

（5）"内容链接"提供该主题的补充材料，可选择使用，便于扩大词汇量、扩展内容，亦可作为表达的参考或观点的论据。

（6）"我的收获"供学习者记录本课学习重点、难点或学习心得，培养自主学习能力，建议学习者认真完成，教师及时反馈。

特别期待

◎ 认真预习和复习。

◎ 坚信"保持沉默"绝对学不好口语。

◎ 坚信"多问多说"就能学好口语。

◎ 自主学习，寻找一切机会跟中国人说汉语。

◇ 结合教学内容不断激发学习者的表达欲望。

◇ 坚信只要学习者用汉语说就是口语的进步。

◇ 帮助学习者把话说下去，而不是忙于纠正言语偏误。

◇ 不断营造适合学习者表达的和谐氛围，而不是忙于讲解。

《发展汉语》（第二版）编写委员会及本册编者

目 录 **Contents**

语法术语及缩略形式参照表 ……………………………………………… I

学习指南 ………………………………………………………………… II

① 快乐会传染 ……………………………………………………………… 1
    课文一　快乐也会传染
    课文二　快乐需要分享
    课文三　世界上最快乐的事，你经历了几件

② 在家上学 ………………………………………………………………… 14
    课文一　在家上学的孩子
    课文二　各方观点
    课文三　美国越来越多的孩子上"家庭学校"

③ 活人图书馆 ……………………………………………………………… 28
    课文一　什么是活人图书馆
    课文二　有趣的借阅规定
    课文三　组建"活人图书馆"，征集"活人"

④ 爱上搜索 ………………………………………………………………… 41
    课文一　爱上搜索
    课文二　为什么对网络游戏如此着迷
    课文三　网络成瘾

⑤ 老大难问题 ……………………………………………………………… 54
    课文一　自行车王国的变迁
    课文二　解决拥堵难题
    课文三　代驾服务

⑥ 人类最糟糕的发明 ……………………………………………………… 68
    课文一　人类最糟糕的发明是什么
    课文二　人类最糟糕发明排行榜
    课文三　最伟大的发明——移动通信

7 你是其中哪一种 ·· 81
　课文一　新词新语
　课文二　拼客
　课文三　达人

8 爱美之心，人皆有之 ································· 94
　课文一　爱美之心，人皆有之
　课文二　减肥的原因
　课文三　最省钱的瘦身方法

9 到底谁的错 ·· 109
　课文一　到底谁的错
　课文二　高不成，低不就
　课文三　24个职业小问题

10 低碳素食 ··· 124
　课文一　小调查：你有环保意识吗
　课文二　垃圾与垃圾回收
　课文三　你愿意为地球选择低碳素食吗

11 带什么去旅行 ··· 139
　课文一　远没你想象的那么多
　课文二　旅行必备
　课文三　郁闷之旅

12 是包袱还是财富 ····································· 154
　课文一　人口老龄化状况
　课文二　包袱论
　课文三　财富论

13 你会AA制吗 ··· 167
　课文一　目瞪口呆与司空见惯
　课文二　正方：AA制好处多
　课文三　反方：AA制不适合东方文化

14 爱情呼叫转移 •• 181

课文一 《爱情呼叫转移》
课文二 《爱情呼叫转移》评论
课文三 《爱情呼叫转移》续集

15 高尔夫魅力无限 •• 194

课文一 高尔夫的起源
课文二 高尔夫魅力无限
课文三 著名赛事与球员

生词总表 •• 207

语法术语及缩略形式参照表
Abbreviations of Grammar Terms

Grammar Terms in Chinese	Grammar Terms in *pinyin*	Grammar Terms in English	Abbreviations
名词	míngcí	noun	n. / 名
代词	dàicí	pronoun	pron. / 代
数词	shùcí	numeral	num. / 数
量词	liàngcí	measure word	m. / 量
动词	dòngcí	verb	v. / 动
助动词	zhùdòngcí	auxiliary	aux. / 助动
形容词	xíngróngcí	adjective	adj. / 形
副词	fùcí	adverb	adv. / 副
介词	jiècí	preposition	prep. / 介
连词	liáncí	conjunction	conj. / 连
助词	zhùcí	particle	part. / 助
拟声词	nǐshēngcí	onomatopoeia	onom. / 拟声
叹词	tàncí	interjection	int. / 叹
前缀	qiánzhuì	prefix	pref. / 前缀
后缀	hòuzhuì	suffix	suf. / 后缀
成语	chéngyǔ	idiom	idm. / 成
主语	zhǔyǔ	subject	S
谓语	wèiyǔ	predicate	P
宾语	bīnyǔ	object	O
补语	bǔyǔ	complement	C
动宾结构	dòngbīn jiégòu	verb-object	VO
动补结构	dòngbǔ jiégòu	verb-complement	VC
动词短语	dòngcí duǎnyǔ	verbal phrase	VP
形容词短语	xíngróngcí duǎnyǔ	adjectival phrase	AP

学习指南

课数	表达方式	交际策略	表达训练
❶	1. 说到……，……会…… 2. 如果……，……就……；如果……，那么…… 3. 由于……，（所以）……，因此…… 4. 不是说……吗？为什么/怎么……？ 5. 把A……坏了	如何开始话题	责问
❷	1. 跟B不同，A…… 2. 何尝不想……（呢）？ 3. 出于……的考虑 4. ……毕竟……，就算……，也…… 5. 但凡……，也/都…… 6. A相当于B	对事物进行比较	无奈
❸	1. 虽然……，却不/却没有……，而是…… 2. 所谓……，指的是…… 3. ……，进而…… 4. ……，为的是…… 5. ……，以便……	对事物或概念加以解说	要求
❹	1. ……，……，甚至……，都…… 2. 之所以……，（就）是因为…… 3. 动不动（就）…… 4. 除了……还是…… 5. ……，（但）更……的是，…… 6. ……，特别是……，甚至……	列举说明	同情、惋惜
❺	1. （过去）……，随着……，（现在）…… 2. ……，这样一来，…… 3. ……，随之…… 4. 并非……，而…… 5. （那时候）……，现在好了，……	叙述事物的发展变化	称赞、羡慕
❻	1. ……足以…… 2. ……，以至于…… 3. ……的确/确实……，然而/但是/却…… 4. ……固然……，但是/可是…… 5. ……在于……	用让步转折复句提出不同观点	吃惊、意外

课数	表达方式	交际策略	表达训练
❼	1. 随……v.而v. 2. ……可不是……，而是…… 3. 用……的话讲/说 4. v.来v.去 5. 比n.还n. 6. 不在话下	篇章主题的推进（总分式、分总式）	强调特点、能力
❽	1. ……，至于……，…… 2. ……，由此可见，…… 3. ……，（要）不然的话，…… 4. 必须得……，否则…… 5. 要是（不）……，就别想……	推断与结论	提醒、劝说或警告
❾	1. ……，乃至…… 2. 把……归咎于…… 3. ……，更有甚者，…… 4. ……未免…… 5. 虽说……，但……	成语的运用	批评
❿	1. ……，（但）与此同时…… 2. 不仅……，也……，同时还…… 3. 不单……，……更…… 4. ……，想必…… 5. 不光……，还/也……	用递进关系复句说明看法	估计
⓫	1. A远没有/远比B…… 2. 就算/即便……，也…… 3. 与其……，不如…… 4. 宁可/宁愿……，也（要/得/会）…… 5. 宁可/宁愿……，（也）不（想/要/能/愿）…… 6. 要是……就不至于……	用选择复句说明主张或选择	遗憾、后悔
⓬	1. ……显示/表明 2. 以……的速度v. 3. 根据/据（……）估算/统计 4. 多少 5. 据（……）报道，……	用转述的内容对问题加以说明	反对

课数	表达方式	交际策略	表达训练
⑬	1. 争着抢着…… 2. （如果）……还好说/还好办，而（要是）……，就…… 3. 如果……（会）……，而如果……（又会）…… 4. 要是……还好，倘若……，（那）…… 5. 心里有数/没数	假设复句连用进行说明	打断、插话
⑭	1. 总而言之/总之/一句话 2. 以……为主线，（通过……）描写了/表现了/表达了/描绘了…… 3. ……是这样的：…… 4. 讲述了…… 5. 无所谓A不A	概述主要内容	概括总结
⑮	1. 起源于…… 2. 起初……，后来……，再后来…… 3. 靠……来…… 4. 最开始/最初……，后来/而后……，……，最终…… 5. 过去……，从……起，……，目前/现在…… 6. 轻则……，重则……	叙述过程	惯用语

快乐会传染

表达方式

1 说到……，……会……

1. 说到"传染"，很多人不禁会皱起眉头。

2. 说到北京的名胜古迹，人们往往会首先想到长城、故宫。

3. 说到快乐，每个人的感受可能会不一样，那么我们今天就来交流一下。

2 如果……，……就……；如果……，那么……

1. 如果你配偶或兄弟姐妹的朋友很快乐，你快乐的几率就会增加10%。如果你的第三层社交圈，如朋友的朋友很快乐，那么你快乐的几率会增加6%。

2. 如果大家同意这个计划，我们就马上开始。如果还有不同意见，那么请大家都提出来。

3. 如果你能在5分钟内完成，你就可以获得10分。如果你在3分钟之内完成了，那么你就可以获得30分。

3 由于……，（所以）……，因此……

"所以""因此"位置可以互换。

1. 由于安息日犹太教徒都不会出门，（所以）球场上一个人也没有，因此长老觉得不会有人知道他违反规定。

2. 由于考试时间非常紧张，（因此）你几乎没有时间检查，所以一定要把握好做题的节奏。

3. 由于最近比赛比较多，（因此）队员的体能有所下降，所以大家对获胜并没有抱太大的希望。

4　不是说……吗? 为什么 / 怎么……?

1. 你不是说要惩罚长老吗? 为什么还不见有惩罚?

2. 不是说每个人都一样吗? 为什么他可以例外?

3. 你们不是说参赛的都是世界级选手吗? 怎么一个有名的球员也没有?

5　把 A……坏了

1. 打完十八洞, 成绩比任何一位世界级的高尔夫球手都优秀, 这可把长老乐坏了。

2. 到了机场, 突然发现护照没带, 这可把他急坏了。

3. 小李找到了一份银行的工作, 把他高兴坏了, 马上打电话告诉了父母和所有朋友。

课文一　快乐也会传染

`5/4/15`

课　文　01

　　说到"传染", 很多人不禁会皱起眉头, 因为"传染"通常是和"病毒"联系在一起的。我们知道很多事物都会近距离传染, 比如感冒、水痘①、打哈欠。那么幸福、快乐也会传染吗?

　　研究人员在《英国医学期刊》上发表的研究报告中称, 与快乐的人在一起, 你自己也会更快乐。你周围的人越快乐, 你也会越快乐。专家说: "这是一个情绪感染的问题。"

　　调查数据显示, 社会关系最广泛的人同时也最快乐, 这些人与朋友、配偶、邻居和亲戚的联系都较为密切。专

---

① 水痘 (shuǐdòu): 一种常见的急性传染病, 患者多为儿童。(crystalli, chicken pox)

家说：“你身边多一个快乐的人，你就多一份快乐。”

　　研究人员还发现，快乐比不快乐更易“传染”。如果你的直接社交对象很快乐，你快乐的几率会增加 15%。如果你配偶或兄弟姐妹的朋友很快乐，你快乐的几率就会增加 10%。如果你的第三层社交圈，如朋友的朋友很快乐，那么你快乐的几率会增加 6%。但每多一个不快乐的朋友，你不快乐的几率会增加 7%。

　　这项新公布的研究结果显示，幸福可能会通过社交网络扩散，你交往的人越幸福，你也会感到越快乐。如果你的社交网络，比如朋友、家庭和配偶，他们中有人变得快乐，那也会增加你快乐的可能性。

生 词 `02`

1.	哈欠	hāqian	（名）	困倦时的一种生理现象，嘴张开，深吸气，呼出。(yawn)
2.	期刊	qīkān	（名）	定期出版的刊物。(periodical)
3.	感染	gǎnrǎn	（动）	受到传染，也指引起别人相同的思想感情。(infect)
4.	广泛	guǎngfàn	（形）	（涉及的）方面广，范围大。(broad; extensive; wide-ranging; widespread)
5.	配偶	pèi'ǒu	（名）	指丈夫或妻子。(spouse)
6.	社交	shèjiāo (social)	（名）	社会上人与人的交际往来。(social contact; social life)
7.	几率	jīlù	（名）	概率，某种事件发生的可能性的大小。(probability; odds)
8.	扩散	kuòsàn	（动）	向外扩展分散。(spread; diffuse)

边学边练

皱眉头　　社交圈　　配偶　　打哈欠　　社交网络　　传染
(zhou meitow — knit one's eyebrows)　(shejiao quan — social circle)

1. 很多人思考问题的时候习惯 皱眉头 。

2. 累了、困了的时候，人们常常会 打哈欠 。

3. 感冒、水痘、打哈欠的共同点就是它们会 传染 。

4. 一个人的丈夫或妻子也可以称为 配偶 。

5. 你在日常工作和生活中交往的人就形成了你的 社交圈 、社交网络 。

课文二　快乐需要分享

课　文　03

有一个故事，说一位犹太教②的长老③，酷爱打高尔夫球。在一个安息日④，他觉得手痒，很想去挥挥杆，但犹太教规定，教徒⑤在安息日必须休息，什么事都不能做。

这位长老却怎么也忍不住，决定偷偷去高尔夫球场，想着打九个洞就好了。

由于安息日犹太教徒都不会出门，球场上一个人也没有，因此长老觉得不会有人知道他违反规定。

然而，当长老在打第二洞时，却被天使发现了，天使生气地到上帝面前告状，说某某长老不守教义⑥，居然在安息日出门打高尔夫球。

上帝听了，就跟天使说，会好好惩罚这个长老。

第三个洞开始，长老打出超完美的成绩，几乎都是一杆进洞。

长老兴奋坏了，到打第七个洞时，天使又跑去找上帝，"上帝呀，您不是说要惩罚长老吗？为什么还不见有惩罚？"

上帝说："我已经在惩罚他了。"

直到打完第九个洞，长老都是一杆进洞。因为打得太神了，于是长老决定再打九个洞。

天使又去找上帝了，"您说要惩罚他，惩罚到底在哪里？"

上帝只是笑而不答。

打完十八洞，成绩比任何一位世界级的高尔夫球手都优秀，这可把长老乐坏了。

---

② 犹太教（Yóutàijiào）：主要在犹太人中间流行的宗教。（Judaism, a religion popular among the Jews）

③ 长老（zhǎnglǎo）：犹太教、基督教指本教在地方上的领袖。（local religious leader, elder）

④ 安息日（ānxīrì）：《圣经》记载，上帝在六日内创造天地万物，第七日完工休息。犹太教尊这天为圣日，名为安息日。（Sabbath Day）

⑤ 教徒（jiàotú）：信仰某一种宗教的人。

⑥ 教义（jiàoyì）：某一种宗教所信奉的道理。

天使很生气地问上帝:"这就是您对长老的惩罚吗?"

上帝说:"正是,你想想,他有这么惊人的成绩以及兴奋的心情,却不能跟任何人说,这不是最好的惩罚吗?"

生活需要伴侣,快乐和痛苦都要有人分享。没有人分享的人生,无论面对的是快乐还是痛苦,都是一种惩罚。

生 词　04

1.	酷爱	kù'ài	(动)	非常爱好。(ardently love)
2.	痒	yǎng	(形)	比喻想做某事的愿望强烈,难以抑制。(itch; tickle)
3.	告状	gàozhuàng	(动)	向某人的上级或长辈诉说某人所做的错事 ① go to law against s.b. bring a lawsuit against s.b. ② lodge a complaint against s.b. w/ his superior
4.	惩罚	chéngfá	(动)	处罚。punish; penalize
5.	神	shén	(形)	特别高超,令人惊奇。god; deity; divinity
6.	伴侣	bànlǚ	(名)	同在一起生活、工作或旅行的人,多指夫妻中的一方。companion; mate; partner
7.	分享	fēnxiǎng	(动)	与他人分着享受(欢乐、幸福、好处等)。share (joy; rights; etc.), partake of

边学边练

告状　酷爱　痒痒　分享　惩罚 cheng fa

1. 大家都知道他是个音乐迷,他 __酷爱__ 音乐。

2. 好久没玩游戏了,看见别人玩,他就心里 __痒痒__ 。 long time

3. 姐弟俩闹了矛盾 máodùn contradiction,都跑到妈妈那里去 __告状__ 。

4. 违反了 wéifǎn violate 交通规则 rule 就要受到交通法规的 __惩罚__ 。

5. 获得了巨大成功,你想最先告诉谁,让谁跟你 __分享__ 这份喜悦?

(看见 - catch sight of / see)

酷　告状　惩

分享　伴侣

课文三　世界上最快乐的事，你经历了几件

课文　05

中国古人说，人生最快乐的几件事情就是：久旱逢甘雨，他乡遇故知，洞房花烛夜，金榜题名时⑦。什么才是世界上最快乐的事？下面这些你又经历过几件呢？

☆花开的时节，有赏花的心情。

☆有人背后称赞你，被你无意中听到或者有人转告给你。

☆在你打扮得最漂亮的那天，在街上偶然遇到你很在乎的人。

☆收拾书架的时候，发现一张没有支取的存单。数目不大，但是人有遗忘的财富，无论是雪中送炭还是锦上添花，都表明你的生活其实没有问题。

☆早上醒来依然记得夜里的美梦。美梦不多但不丢失，实在很难得。

☆做了噩梦及时醒来，发现一切不是真的。

☆醒来认为上班已经迟到，但突然想起来是周末。

曾经有一家英国报纸以"世界上最快乐的事情是什么"为题，有奖征集答案。只有不超过 3% 的回答是挣到了一大笔钱。最后获奖的四个答案是：艺术家完成了一件作品，望着作品吹口哨的时候；小孩儿在沙滩上用沙子堆成了一座城堡；母亲忙了一天，晚上给自己的孩子洗了一个热水澡；外科医生完成了一个手术，救活了一个生命。

生词　06

1.	无意	wúyì	（副）	不是故意的。
2.	在乎	zàihu	（动）	在意，介意。

---

⑦ 久旱逢甘雨，他乡遇故知，洞房花烛夜，金榜题名时（jiǔ hàn féng gān yǔ, tāxiāng yù gùzhī, dòngfáng huāzhú yè, jīnbǎng tímíng shí）：所谓人生四大喜事，分别指久旱之时，忽然降雨；在远离家乡的地方碰到了老朋友；新婚的夜晚；科举时代考试取得名次。

3.	支取	zhīqǔ	（动）	领取（款项）。 draw (money)
4.	存单	cúndān	（名）	银行等给存款者作为凭证的单据。(deposit receipt)
5.	遗忘	yíwàng	（动）	忘记。(forget)
6.	雪中送炭	xuě zhōng sòng tàn	（成）	比喻在别人急需帮助的时候给予帮助。(provide timely help)
7.	锦上添花	jǐn shàng tiān huā	（成）	比喻使美好的事物更加美好。(make what's good still better)
8.	噩梦	èmèng	（名）	可怕的梦。(nightmare)
9.	征集	zhēngjí	（动）	用公告或口头询问的方式收集。(collect)
10.	口哨	kǒushào	（名）	用嘴发出的像吹哨子的声音。(whistle)
11.	城堡	chéngbǎo	（名）	堡垒式的小城或建筑。(castle)

边学边练

无意　　雪中送炭　　锦上添花　　美梦　　噩梦　　偶然　　在乎

1. 他当时正好从这里经过，_____无意_____中看见了事情的整个过程。

2. 他在逛街的时候，_____偶然_____在旧书摊上发现了这本诗集。

3. 他根本不_____在乎_____别人怎么评论他，自己怎么高兴就怎么做。

4. 在别人急需帮助的时候给予帮助是_____雪中送炭_____，好上加好、美上加美是_____锦上添花_____

5. 做了_____美梦_____不愿醒来，做了_____噩梦_____希望一切不是真的。

课堂活动与任务

一、模仿例子说出更多的词语。

1. 社交圈：__朋友圈__　　　　__毛衫圈__　　　　__娱乐圈__

2. 几率：_____　　　　_____　　　　_____

3. 可能性：_____　　　　_____　　　　_____

4. 社交网络：_____　　　　_____　　　　_____

5. 高兴坏了：_____　　　　_____　　　　_____

二、选择词语，灵活运用。

哈欠	背后	痒	打扮	……圈
几率	网络	梦	……坏了	……性

1. 你发现没有，一个人 <u>打哈欠</u> ，他周围的人也都跟着打。

2. 打篮球是他的第一爱好，每次看见别人打球，<u>他手痒</u>。

3. 调查的结果显示，他的支持者越来越多，他在这次选举中<u>的成功几率</u>越来越高。

4. 他如今在 <u>娱乐圈</u> 也算是个有名的演员了。

5. 几年来，公司在各地设立分部，已经形成了一个覆盖全国的<u>社交网络</u>。

6. 体育比赛都有一定的 <u>几率</u> ，也正是这一点使得比赛更有 <u>趣味性</u> 。

7. 第一次打高尔夫就打了个一杆进洞，真把他<u>乐坏了</u>。

8. 女孩子上街前总是要花好长时间<u>打扮得很好看自己</u>。

9. 对别人有什么意见就当面谈，千万别<u>背后乱说了</u>。

10. 刚才睡觉<u>做了噩梦</u>，醒来发现自己满头是汗，还好不是真的。

三、参考所给词语，根据课文内容说一说。

1. 感冒、水痘、打哈欠，它们有什么共同特点？（传染）

2. 你身边的人快乐或者不快乐，跟你有着什么关系？

（显示　几率　如果……，那么……）

3. 课文二中，这位长老那天的高尔夫打得怎么样？（神　几乎）

4. 课文二中，上帝是如何惩罚那个长老的？（……，却……　分享）

5. 说出课文三中提到的一两件快乐的事。（无意　偶然　依然）

四、举一反三。

1. 说到"传染"，很多人不禁会皱起眉头。

（1）说到联系方式，<u>很多人不禁会大哈欠</u>。

（2）说到快乐，<u>你应该会买一只猫</u>。

（3）<u>说到动物，我明天会买一只猫</u>。

2. 如果你配偶或兄弟姐妹的朋友很快乐，你快乐的几率就会增加10%。如果你的第三层社交圈，如朋友的朋友很快乐，那么你快乐的几率会增加6%。

（1）如果他这个球能一杆进洞，那么他就赢了。如果<u>他这个球不能一杆进洞，那么他会掉冠军，几率会增加10%</u>。

（2）如果你通过了这次面试，<u>你信心的几率就会增加20%</u>。如果<u>你没通过这次面试，那么你信心的几率会降了100%</u>。

（3）<u>如果你的妹妹很快乐，你快乐的几率就尤会增加15%。如果你的弟弟很快乐，那么你快乐的</u>

3. 由于安息日犹太教徒都不会出门，（所以）球场上一个人也没有，因此长老觉得不会有人知道他违反规定。

（1）由于网络的普及，（所以）写信已被电子邮件所代替，<u>因此</u>。

（2）<u>由于他的断腿，（所以）他不可以打球</u>，因此他失去了比赛获胜的机会。

（3）<u>由于昨天晚上她没准备好了。因此今天她考得考试不好</u>。

4. 您不是要惩罚长老吗？为什么还不见有惩罚？

（1）你不是今天休息吗？为什么<u>你还做工作</u>？

（2）他的作品不是已经完成了吗？<u>为什么他还延摘</u>？

（3）<u>你的姐姐还不是结婚？吗？为什么她不要找到一个配偶</u>？

5. 您说要惩罚他，惩罚到底在哪里？

（1）你说你们已经进行了调查，<u></u>？

（2）大家一直都在忙忙碌碌，<u>什么时候到底可以休息</u>？

（3）<u>你说你要去泰国，你到底去了</u>？

6. 这就是您对长老的惩罚吗？

（1）一张不到一百元的存单，<u>这就是他</u>？

（2）一点儿不在乎别人的感受，<u>这就是在乎别人是不好吗</u>？

（3）<u>这京尤是你没完了吗</u>？

五、交际策略——如何开始话题

"说到……，……会……"，这样的表达方式可以用于开始一个话题，先把人们针对某一问题的普遍看法提出来，再用"那么……"引出自己要谈问题的关键，这样可以有效引起听话者的注意，引入一个话题。类似的表达方式还有"每当提起／说起／谈起……，都会……，那么……"，"说起……，大家就会……，其实……"等。

1. 说到联系方式，人们一般都会想到写信、电话、网络，那么到底哪一种方式最方便呢？请大家谈谈自己的看法。

2. 每当提起那次经历，她都会笑个不停，那么到底发生了什么呢？

3. 说起这个公司的发展历史，人们都会说到一位神奇的老人，那么今天我们就来给大家介绍一下这位神奇的老人。

试着使用上述方法开始下面的话题。

1. 和大家讨论"传染"这个词

2. 你认为最有效的学习方法

3. 网络游戏的优点

4. 健忘的好处

六、表达训练—— 责问

读一读，想一想：

◇ 您不是要惩罚长老吗？为什么还不见有惩罚？

◇ 您说要惩罚他，惩罚到底在哪里？

◇ 这就是您对长老的惩罚吗？

你认为上面这几个句子表达了天使的什么心情？天使是用什么语气说这几句话的？

小贴士

"不是……吗？为什么……""……，到底……？"

"这就是……吗"都可以用来对某事或某人表示不满、埋怨，并提出责问，要使用责备的语气。

试一试，说一说：

1. 同屋答应把房间打扫干净，可是你回来时房间还是又脏又乱。

2. 服务员态度很不好，对顾客不够礼貌。

3. 下个月就要比赛了，可是运动员不认真训练。

4. 朋友说要减肥，可是又买了很多点心和巧克力。

七、完成任务。

征集答案：在同学中以"学生最快乐的事""留学生活中最快乐的事"为题征集答案，并评选出最优秀的答案。

留学生活中最快乐的事	
候选答案	优秀答案

八、小组讨论。

1. 给大家讲一件你最快乐的事，把你的快乐与大家分享。

2. 你认为最快乐的职业是什么？

3. 世界上最快乐的地方是哪里？

4. 还有什么也会传染？

内容链接一

幸福感能用公式计算

说到幸福感，许多人认为它是一种"全或无"的感觉：不是幸福，就是不幸福。然而，英国卡迪夫大学一位心理学教授发明了一个可以计算幸福感的心理学公式：幸福感 ＝ 户外活动＋（亲近自然 × 社会交往）＋夏日童年回忆／温度＋对假期的热望。

根据这个公式，在信贷放宽、夏日艳阳初照、接近发薪日和假期等诸多因素的影响下，6月19日是英国人最快乐的一天。

"作为一名心理学家，我只想告诉大家，幸福感是免费就能得到的东西。"这位现年44岁的心理学家说，在这个公式中，产生幸福感的要素基本都是用不着掏腰包的，就算和朋友参加户外活动需要破费一点，你也可以选择在公园漫步或小溪里划船。"人生最宝贵的东西应该是各种亲密的关系，包括友谊、爱情等。"他说，"如果世界末日来临，你会怎么办？当然是与他们共度。"

（选自《环球时报》）

内容链接二

最快乐的职业

有人进行了一项关于"最快乐的职业"的调查，结果显示，美容师和美发师分列"最快乐的职业"前两位。许多美容师和美发师表示，赋予别人美丽是最令人快乐的事。同时调查还指出，经济收入并不是快乐的最重要来源，重要的是对工作的喜爱和兴趣。

我个人认为电视旅游频道的主持人是个相当不错的职业，能周游世界不说，一切还都是免费的。美食旅行家更是不可多得的职业选择。曾经有闻名全球的纽约名厨波登，到世界各地旅行，一边吃一边撰写《名厨吃四方》，用独特的厨师观点来看这个世界。行程走到后半部，随行的两位摄影师也一同加入这个吃遍全球的计划，因为只有这样结合食物本身、用餐情境与回忆的绝佳组合才是波登心目中的超完美美食，这样的工作才是世界上最棒的工作。

◎ 重点词语 ....

....

◎ 表达方式 ....

....

◎ 精彩观点 ....

....

◎ 文化差异 ....

....

◎ 其他方面 ....

....

2 在家上学

表达方式

1 跟 B 不同，A······

1. 跟文文不同，小海选择在家上学是因为在学校表现较差。

2. 跟应试教育不同，素质教育更强调对学生能力的培养。

3. 跟其他厂家不同，我们要强调的是民族特色。

2 何尝不想······（呢）？

1. 我们何尝不想让孩子在学校学习呢？没办法。

2. 他们何尝不想多休息一会儿、多玩儿一会儿？可是实在没有时间。

3. 我何尝不想离开办公室，到海边晒晒太阳呢？可我的工作谁做？

3 出于······的考虑

1. 我们这样做是出于对孩子将来的考虑。

2. 我们采取这一措施是出于节省能源的考虑。

3. 出于对交通安全的考虑，学校里车速限制在每小时 15 公里以下。

4 ······毕竟······，就算······，也······

1. 大多数父母毕竟不是专业老师，而且就算是专业老师，也比不上学校的全科教育。

2. 他们的经济条件毕竟太差了，而且就算我们给他们一些钱，也解决不了问题。

3. 他毕竟只有 8 岁，就算你给他解释，恐怕他也不能完全理解。

5 但凡……，也／都……

1. 但凡学校教育能让孩子稍微愉快点儿，我们也不会让他退学回家的。

2. 但凡我还能有一点办法，我也不会向他开口请求帮助。

3. 但凡接触过这种病毒的人，都有可能被传染。

6 A 相当于 B

1. 在家里上学的孩子，目前已经超过 200 万，相当于每 50 名中小学生中就有一名"家庭学校"的学生。

2. 上海的东方明珠塔有 468 米，相当于 120 层楼那么高。

3. 有了一部电子书，就相当于有了一个自己的图书馆。

课文一　在家上学的孩子

课　文　07

早晨九、十点钟，别的小学生早已经在学校上课了，文文才刚刚睡醒，她不慌不忙地起床，先洗脸刷牙再吃过早饭，然后才开始一天的学习。早上睡到 10 点左右，每天不用到学校上课……6 岁小女孩文文，过着令同龄人羡慕的生活，她的父母半年前决定，不送她到学校上学，而是在家中亲自辅导。

文文的父母都是老师，所以想到在家里亲自教育女儿，爸爸负责教理科，妈妈负责教文科。文文妈妈的目标是希望女儿长大以后，成为一个琴棋书画①都会的才女，所以特别重视传统文化的教育，选择了很多国学典籍教女儿。现在每天上午，文文都要朗读一个多小时的《论语》②，每读半小时或一小时，文文觉得累了，就会休息一会儿，然后再继续朗读，这是父母为她安排的必修

---

① 琴棋书画 (qín qí shū huà)：指古琴、围棋（象棋）、书法、绘画，是中国古代文人所推崇和要掌握的四门艺术。可用来体现人的素质和修养。

② 《论语》(Lúnyǔ)：由孔子的弟子及再传弟子收录整理的孔子言论的汇编，是儒家最重要的经典，也是研究孔子及儒家思想的主要资料。(Analects of Confucius)

课。读完《论语》之后，小文文还要学习画画、下棋、数学、音乐、舞蹈、讲故事、书法和英语，学习内容非常丰富。

然而，跟文文不同，另一个孩子小海选择在家上学是因为在学校表现差，学习成绩不理想，他的父母不得已，只好决定让孩子退学回家，自己当起了孩子的全职老师。他妈妈说："我们何尝不想让孩子在学校学习呢？没办法，这样做是出于对孩子将来的考虑。按照我们的培养计划，回家后我们将在短期内让孩子学完小学课程，然后预习初中课程。把孩子带回家自己培养，孩子既可以学好各门功课，又能发展自己的兴趣爱好，也算是因材施教吧。"

（选自《现代金报》）

生 词 08

1.	同龄	tónglíng	（动）	年龄相同或相近。
2.	理科	lǐkē	（名）	教学上对数学、物理、化学、生物等学科的总称。
3.	文科	wénkē	（名）	教学上对文学、历史、哲学、语言、经济等学科的总称。
4.	国学	guóxué	（名）	中国传统的学术文化。
5.	典籍	diǎnjí	（名）	泛指古代图书。
6.	不得已	bùdéyǐ	（形）	无可奈何，不得不如此。
7.	退学	tuìxué	（动）	学生因故不能或不许继续在学校学习。
8.	全职	quánzhí	（形）	专门担任某种职务的。
9.	何尝	hécháng	（副）	用反问的语气表示未曾或并非。
10.	因材施教	yīn cái shī jiào	（成）	根据不同对象的能力、性格等具体情况施行不同的教育。

边学边练

文科　　理科　　何尝　　出于　　理想　　不得已　　因材施教

1. 他从小就对物理、化学感兴趣，上大学时自然就选择了 <u>理科</u> 学校。

2. <u>文科</u> 可以分为人文科学和社会科学。

3. 这次考试准备得不够充分，成绩不太 <u>理想</u>。

4. 没有人要求他强迫他，他这样做完全是 <u>出于</u> 自愿。

5. 做衣服要量体裁衣，教育要 <u>因材施教</u>

6. 我是 <u>不得已</u> 才来这家公司上班的，这根本不是我喜欢的工作。

7. 学生们 <u>何尝</u> 不想考一个好成绩呢？

课文二　各方观点

課　文　09

教育界人士

◆孩子在家接受教育存在不足。即使家长目前能够辅导孩子，但是随着学习深度、广度的不断增加，家长迟早会觉得力不从心。而且，孩子在家里接受教育，由于缺乏与同学之间的竞争，又没有老师日常的督促和鼓励，可能导致孩子的学习动力不足，这些都不利于孩子的进步。

◆孩子是需要学校环境的。首先学校可以有目的、有组织地对孩子进行教育；其次，孩子也需要进行正常的活动和人际交往，感受校园文化。家庭教育只能是学校教育的补充，不能够代替学校教育，家长在选择家庭教育时，应当特别慎重。

◆家庭教育实际上就是"现代私塾"，这是一种特殊的教育模式，它追求教育个性化，适应当前社会需求多元化、个性化的趋势。这与教育改革的方向一致，应当允许进行试验，但不推广。"现代私塾"应该到教育部门登记注册，

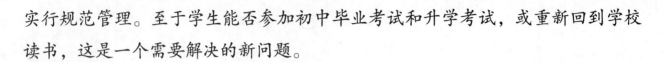

实行规范管理。至于学生能否参加初中毕业考试和升学考试，或重新回到学校读书，这是一个需要解决的新问题。

家长

◆在国外，也有家长选择让孩子在家上学。只要能够让孩子们学到知识，无论哪一种教育方式都可以尝试。

◆看到小不点儿③每天背着重重的书包，早出晚归的，真觉得不忍心。孩子这么小，有必要那么早去学校吗？如果有能力独自教育孩子学习，我也愿意放弃学校教育，让孩子在家里读书。

◆大多数父母毕竟不是专业老师，而且就算是专业老师，也比不上学校的全科教育，所以，孩子还是应该送到学校学习。再说，孩子长期不在群体中生活，会影响他的交往能力。

◆我们实在是不得已才让孩子在家上学的。其实我们也看了不少学校，我们何尝不想让他接受学校教育呢？可是没有一所学校让人满意。

◆我们之所以让孩子在家上学，也是无可奈何。但凡学校教育能让孩子稍微愉快点儿，我们也不会让他退学回家的。目前学校教育存在的问题，应该全社会共同努力去解决，只有这样，我们才能做到各司其职——孩子好好上学、大人努力工作。

生　词　[10]

1.	迟早	chízǎo	（副）	或早或晚。
2.	力不从心	lì bù cóng xīn	（成）	心里想做，可是能力或力量不够。
3.	督促	dūcù	（动）	监督催促。
4.	私塾	sīshú	（名）	旧时家庭、教师自己设立的学习处所。
5.	模式	móshì	（名）	某种事物的标准形式或标准式样。
6.	多元	duōyuán	（形）	多样的，不单一的。

---

③ 小不点儿（xiǎobudiǎnr）：这里指很小的孩子。

7.	化	huà	（后缀）	加在名词或形容词后构成动词，表示转变成某种形式或状态。
8.	趋势	qūshì	（名）	事物发展的动向。(trend; tendency)
9.	注册	zhùcè	（动）	向有关部门登记备案。(register)
10.	规范	guīfàn	（形）	合乎规定标准的。(standard; norm)
11.	无可奈何	wú kě nài hé	（成）	没有办法。(have no way out; powerless; helpless; have no alternative)
12.	但凡	dànfán	（副）(adverb)	凡是，只要是。in every case; w/out exception; as long as
13.	各司其职	gè sī qí zhí	（成）	每个人尽自己的职责，做好所承担的工作。

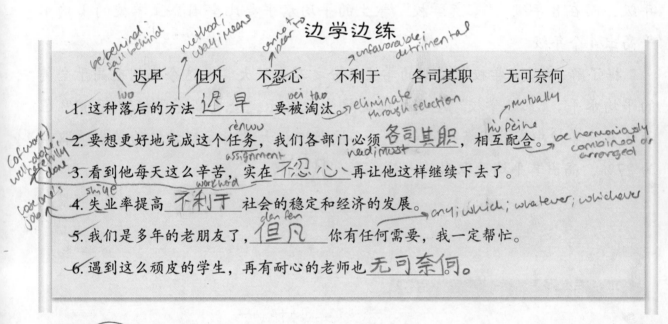

边学边练

| 迟早 | 但凡 | 不忍心 | 不利于 | 各司其职 | 无可奈何 |

be behind; fall behind （迟早 wǔ）　method; way; means　come to bear in　unfavorable; detrimental

1. 这种落后的方法 **迟早** 要被淘汰。 eliminate through selection

2. 要想更好地完成这个任务(rènwu assignment)，我们各部门必须 **各司其职**，相互配合。 need; must / hù pèihe mutually / be harmoniously combined or arranged (of work) well-done; carefully done

3. 看到他每天这么辛苦，实在 **不忍心** 再让他这样继续下去了。 workload (do one's) job

4. 失业率(shìyè)提高 **不利于** 社会的稳定和经济的发展。 any; which; whatever; whichever

5. 我们是多年的老朋友了，**但凡**（dàn fēn）你有任何需要，我一定帮忙。

6. 遇到这么顽皮的学生，再有耐心的老师也 **无可奈何**。

3|13|15

课文三　美国越来越多的孩子上"家庭学校"

课　文 11

在美国，学龄孩子不上学也是违法的。但是，孩子和家长对教育的形式有选择权。他们既可以上免费的公立学校，也可以上付费的私立学校，还可以上家庭学校（homeschool）。

据美国媒体(méitǐ media)报道，在家里接受初等教育的孩子数量正在逐年上升，目前已经超过200万，相当于每50名中小学生中就有一名"家庭学校"的学生。专家说，在家上学的美国孩子的人数每年增长10％左右。越来越多的家长认识到，自己在家教小孩，可以因材施教，可以根据孩子的兴趣安排课程和进度，时间上也相当灵活。

根据美国某些州的有关法律，孩子留在家里上学必须在当地教育管理部门登记备案。每学年上课时间 1000 个小时，其中阅读、数学、历史、地理、英文和科学等主课至少在 600 小时以上。每次上课必须"签到"，孩子的作业和家长的批改记录都要保存，教育官员会抽查。

"家庭学校"学生的成绩和公立学校相比，到底怎么样呢？有这样一组数字：在 1～4 年级，"家庭学校"学生的平均水平会比公立学校的学生高一个年级，而在 8 年级，"家庭学校"学生的平均水平要比全国公立学校的平均水平高出 4 个年级。

据了解，"家庭学校"毕业的学生三分之二上了大学，这个比例也高于全美的平均水平。"家庭学校"全国中心的调查也显示，全美高等学校中有 68% 已承认家庭学校中家长准备的成绩单。名校斯坦福大学对家庭学校的学生录取率为 27%，高出其平均录取率的一倍。

（选自《中国青年报》）

生　词

1.	学龄	xuélíng	（名）	儿童适合入学的年龄。
2.	公立	gōnglì	（形）	政府设立的。
3.	私立	sīlì	（形）	私人设立的。
4.	逐年	zhúnián	（副）	一年跟着一年地。
5.	进度	jìndù	（名）	工作等进行的速度。
6.	备案	bèi'àn	（动）	向主管机关报告并存案以备查考。
7.	官员	guānyuán	（名）	担任一定职务的政府工作人员。
8.	抽查	chōuchá	（动）	抽取一部分进行检查。
9.	录取	lùqǔ	（动）	选定合格者，同意其加入本单位（学习、工作等）。

边学边练

备案	进度	录取	高于	相当于	相比

1. 要想成立一个公司，必须到工商管理部门登记 **备案**。

2. 不仅要保证生产质量，还要加快生产 **进度**。

3. 他被中国一所名校 **录取** 了，这可把他父母乐坏了。

4. 私立学校的学费普遍 **高于** 公立学校。

5. 他一年的学费大约 1 万美元，**相当于** 6 万多人民币。

6. 和那些名牌产品 **相比**，我们的产品质量一点也不差。

课堂活动与任务

一、模仿例子说出更多的词语。

1. 不慌不忙：＿＿＿＿＿＿　　＿＿＿＿＿＿　　＿＿＿＿＿＿

2. 同龄：＿＿＿＿＿＿　　＿＿＿＿＿＿　　＿＿＿＿＿＿

3. 教育界：＿＿＿＿＿＿　　＿＿＿＿＿＿　　＿＿＿＿＿＿

4. 深度：＿＿＿＿＿＿　　＿＿＿＿＿＿　　＿＿＿＿＿＿

5. 多元化：＿＿＿＿＿＿　　＿＿＿＿＿＿　　＿＿＿＿＿＿

6. 高于：＿＿＿＿＿＿　　＿＿＿＿＿＿　　＿＿＿＿＿＿

二、选择词语，灵活运用。

学龄	全职	至于	不得已	相当于
退学	出于	低于	……化	因材施教

1. 法律规定，**学龄二同** 接受教育既是权利也是义务。

2. 现在不少有条件的女性放弃工作，选择在家 **全职太太**。

3. 卡拉 OK 是一种 **大众化** 的娱乐形式，受到很多老百姓的喜爱。

4. 网上购物的价格往往会 低于购物中心的价格 ，但有时质量却没有保障。

5. 在大家的帮助下，因为 贫困而退学的 的孩子们都回到了课堂。

6. 两千多年前，孔子就主张 因材施教 的教育方法。

7. 他高中时喜欢上了物理，现在改学理科专业完全是 出于对他的考虑 。

8. 我们今天只讨论在家上学的利弊， 至于公立学校的 ，我们下次再谈。

9. 今天的家庭学校 相当于古代的 ，不少人把它叫做"现代私塾"。

10. 不得已 ，我们只好同意了他的要求。

三、参考所给词语，根据课文内容说一说。

1. 课文一中，文文早上的生活与其他小朋友有什么不同？

（不慌不忙　同龄人　羡慕）

2. 课文一中，张女士的孩子为什么选择在家上学？

（跟……不同　理想　退学　不得已　何尝　出于……的考虑）

3. 课文二中，专家们对在家上学有什么看法？

（迟早　深度　不利于　模式　……化　慎重　至于）

4. 课文二中，家长们对在家上学有什么看法？

（不忍心　毕竟　何尝不想……呢　无可奈何　但凡）

5. 根据课文三，说说美国的家庭学校。

（相当于　因材施教　灵活　登记备案　录取　高于）

四、举一反三。

1. 跟文文不同，小海选择在家上学是因为在学校表现较差。

（1）跟公立学校不同，_在家上学只有一个人_。

（2）跟学习文科的同学不同，学习理科的同学是更 _理性/感性_

（3）_跟哈尔滨的冬天不同，北京的冬天是_不太冷。

2. 我们何尝不想让他接受学校教育呢？可是没有一所学校让人满意的。

（1）他们何尝不想尽快把问题解决呢？_可是没有别的人可以解决。_

（2）_你们何尝不想还要雇佣我呢_？可是没人给我这个机会。

（3）_你何尝不想我道一个男朋友呢？_或_你的姐姐和妹妹_
都是结婚了。

3. 我们这样做是出于对孩子将来的考虑。

（1）我想出国上大学是出于 _对学英文的考虑_。

（2）_____，他们把这次会面安排在了使馆。

（3）_他想学医学是出于对别人帮助的考虑。_

4. "现代私塾"应该到教育部门登记注册。至于学生能否参加初中毕业考试和升学考试，

这是一个需要解决的新问题。

（1）网络的好处我们已经说了很多。至于 _网络的坏处。我们无所谓。_

（2）_科学家很多的_问题解决了。至于 癌症 _____，科学家还没有得出结论。

（3）_骑摩托车是很好玩儿。至于安全。我不推荐你骑了。_

5. 大多数父母毕竟不是专业老师，而且就算是专业老师，也比不上学校的全科教育。

（1）我们毕竟不是职业运动员，而且就算受过一些训练，_也比不上职业运动员。_

（2）这毕竟是一个新产品，_就算是新新的_。

（3）_____。

6. 但凡学校教育能让孩子稍微愉快点儿，我们也不会让他退学回家的。

（1）但凡他当时给我们一点帮助，<u>我们也不会。</u>

（2）<u>但凡我</u>_____，我们都会坚持下去。 *jiānchí* → *persisting/persevere*

（3）_____。

7. 在家里上学的孩子，目前已经超过200万，相当于每50名中小学生中就有一名"家庭学校"的学生。

gain/obtain/receive（1）美国的"州"<u>相当于中国的省会</u>。

（2）获得全额奖学金 *huade* <u>mian fei 相当于。</u>

（3）_____。

五、交际策略——对事物进行比较

在比较两个事物时，除了简单的比较句外，我们还有很多其他方法，如"跟B不同，A……""和/跟/与B相比/比，A……"，先指出要比较的对象B，然后主要说明谈论对象A的特点；还有"A比不上B""A高于（重于/大于/好于）B""A相当于（近似于\不亚于）B"，直接说出A与B比较的结果。

1. 跟在学校上学不同，在家上学可以根据孩子的兴趣安排课程。

2. 与沿海地区相比，内地的生活水平还稍差一些。

3. 他在公司的影响力远远比不上他的父亲。

4. "家庭学校"毕业的学生三分之二上了大学，这个比例也高于全美的平均水平。

5. 我那时候的汉语水平相当于一个幼儿园小朋友的水平。

试着使用上述方法对下列情况加以比较。

1. 比较两个节日的重要性

2. 比较你知道的两所大学

3. 说一说你现在的汉语水平

4. 说一说你们最近两次考试的成绩 *chéngji* 　*success/achievement (result of work)*

5. 比较一下球队的利益和球员个人的利益

6. 比较你们国家和中国对颜色、数字的看法 *yanse*

(compare/contrast)

number/amount

六、表达训练——无奈

读一读，想一想：

◇ 我们实在是不得已才让孩子在家上学的。

◇ 我们何尝不想让孩子在学校学习呢？

◇ 我们何尝不想让他接受学校教育呢？可是没有一所学校让人满意。

◇ 我们之所以让孩子在家上学，也是无可奈何。

◇ 但凡学校教育能让孩子稍微愉快点儿，我们也不会让他退学回家的。

你认为上面这几句话表达了说话人的什么心情？应该用什么语气说这几句话？

> **小贴士**
>
> "不得已才……""何尝不想……呢？""……也是无可奈何""但凡……，也……"都可以用来表示无奈、没有办法，要使用无奈的语气。

试一试，说一说：

1. 路上自行车坏了，只好走路上学，结果迟到了。

2. 不想让父母失望，只好对他们说了谎话。

3. 毕业了找不到合适的工作，和父母住在一起。

4. 工作没完成，被老板骂了一顿，一句话不敢说。

5. 很不喜欢这份工作，想辞职，可是还没找到别的工作。

七、完成任务。

1. 介绍一下你们国家"家庭学校"的情况。

2. 和同学一起分别总结一下在家上学的优点和缺点。

在家上学的优点	在家上学的缺点

八、小组讨论。

1. 如果让你回到小时候，你愿意选择在家上学吗？

2. 如果你有了子女，你会为他／她选择哪种学习方式？

3. 你认为什么样的父母才可以让孩子在家上学？

4. 谈一谈你对公立学校和私立学校的看法。

5. 谈一谈你们国家的大学和中国的大学有什么相同和不同。

内容链接一

不一样的回答

在中国，如果你在大街上随便向一个孩子问这样一个问题："最快乐的事情是什么？"，尽管答案可能五花八门，但绝没有孩子会说是"上学"。可是，如果把孩子送到印度，答案就会变得让我们大吃一惊——孩子最快乐的事情就是"上学"。

上学成了孩子们最快乐的事情，这才是成功的教育。我不禁羡慕起印度学生的快乐了。但光羡慕有什么用呢？还是让我们先看看印度教育的快乐之道吧。

（选自王贵成博文）

内容链接二

印度教育的快乐之道

在校时间少是印度学校的一个特点，也是学生们普遍感到开心的一个主要原因。一般来说，他们每天早上 8 点开始上课，下午两点便放学了。不仅上课时间少，而且放假还特别多。暑假将近两个月，寒假将近一个月，再加上各种宗教和其他节日，一年的假日有 120 多天。"正感觉上课有点累时，放学了。正想轻松一下时，假日来了。这种作息时间恰到好处。"

注重兴趣培养是印度学校的又一特点，也是学生们喜欢上学的一个重要原因。翻开孩子的课本，《数学》中几乎所有的知识点都是学生在日常生活中遇到的问题，如到市场如何买菜，怎样测量自己的身高、体重，等等。《英语》教材中，大多是一个个生动有趣的故事，学生在进入故事的过程中不知不觉学会了语法和词汇。除了五六门主要课程之外，印度学校大都设立多种兴趣课供学生选择，如跆拳道、剪纸艺术、手工、戏剧、日语、园艺，等等。"人的兴趣不同，未来的发展也是多样化的，在教育中我们意识到这一点，从人的兴趣出发，为人的未来作准备。"

作业少也是印度学生们普遍感到轻松快乐的一大原因。为了让学生带着轻松回家，印度很多学校不准老师给小学生布置家庭作业，所有问题在课堂解决。印度小学生的家庭作业只用十几分钟就做完了。放假也很少有作业。在印度上学的中国孩子说："我现在才明白了放假的意义，放假就是要好好玩儿，用这个标准衡量，好像在中国没有放过假。"

（选自王贵成博文）

我的收获

◎ 重点词语

◎ 表达方式

◎ 精彩观点

◎ 文化差异

◎ 其他方面

3　活人图书馆

表达方式

1　虽然……，却不 / 却没有……，而是……

1. 虽然名字叫图书馆，这里却没有一本传统意义上的书，而是出借一个个"大活人"。
2. 虽然公司为他安排了专车，他却从来不用，而是每天骑自行车上下班。
3. 这些"海归"虽然经常回来，却并不定居，而是像候鸟一样季节性地飞来飞去。

2　所谓……，指的是……

1. 所谓"借阅"，指的就是和"书"进行面对面的交流学习。
2. 所谓"中央商务区"，指的是城市中商业和商务活动集中的主要地区。
3. 所谓外来词，指的是那些从别的语言中借过来的词汇。

3　……，进而……

1. 他们用"口述"方式让"读者"了解自己的处境、想法，希望能增强交流，进而消除人类偏见。
2. 首先学好语音语调，进而提高口语表达能力。
3. 观察并记录他们的学习过程，进而总结出他们学习的规律和特点。

4　……，为的是……

1. 组建活人图书馆，为的是增强人与人之间的交流，交流彼此的经验，消除各种偏见。
2. 他们在机场等了两三个小时，为的就是见到自己喜爱的球星，希望得到一个签名。
3. 我们组织这样的活动，为的是让学生们有机会体验一下真实的农村生活。

5 ……，以便……

1. 你要编写自己的"标签"和"简介"，以便吸引更多的读者。

2. 建议留下手机号码，以便及时沟通。

3. 我们的计划要有一定的灵活性，以便根据实际情况作出调整。

课文一　什么是活人图书馆

课　文　13

　　你听说过"活人图书馆"吗？其实不难理解，就是以人为"书"，人就是这座图书馆的馆藏。虽然名字叫图书馆，这里却没有一本传统意义上的书，而是出借一个个"大活人"。如果你对某个领域感兴趣或者有困惑，都可以"借阅"。所谓"借阅"，指的就是和"书"进行面对面的交流学习；与此同时，也让那些拥有宝贵成功经验的"书"们能够将自己的"财富"传给其他人。

　　活人图书馆中的"书"，其实是和我们大多数人一样的普普通通的人。但由于各种不同的原因，这些人和我们在某些方面又是不同的。这种不同可能是因为外貌、身体、智力、精神，也可能是因为民族、文化、传统、经历，还可能是因为爱好、特长，等等。

　　活人图书馆中的"书"是开放的、愿意和众人分享自己经历的人。他们用"口述"方式让"读者"了解自己的处境、想法，希望能增强交流，进而消除人类偏见。在这里，每个人都是一部"活自传"。

（选自《北京晚报》）

生　词　14

1.	馆藏	guǎncáng	（名）	图书馆、博物馆等收藏的图书、器物，等等。
2.	领域	lǐngyù	（名）	学术思想或社会活动的范围。

3.	困惑	kùnhuò	（形）	感到疑难，不知道该怎么办。
4.	外貌	wàimào	（名）	人或物的表面形状。 *appearance; exterior; looks*
5.	智力	zhìlì	（名）	认识、理解客观事物并运用知识、经验解决问题的能力。 *intelligence; intellect*
6.	特长	tècháng	（名）	特别擅长的技能或特有的经验。 *what one is skilled at; specialty*
7.	口述	kǒushù	（动）	口头叙述。 *give an oral account*
8.	处境	chǔjìng	（名）	所处的境地（多指不利的情况）。 *unfavorable situation; plight*
9.	偏见	piānjiàn	（名）	偏于一方面的见解，成见。 *prejudice; bias*
10.	自传	zìzhuàn	（名）	第一人称记叙生平事迹的传记文章或著作。 *autobiography*

边学边练

館藏　外貌　自传　指的是　偏见　特长

1. 以貌取人的意思就是根据 ___外貌___ 来判断人。

2. 历史博物馆的 ___館藏___ 十分丰富，具有很高的历史价值。

3. 他这里所说的国学典籍 ___指的是___《论语》。

4. 我们在评价别人的时候，难免会带有自己的 ___偏见___ 。

5. 安排这次活动是为了给大家一个展示 ___特长___ 的机会，千万不要错过。

6. 他在 ___自传___ 中讲述了自己的成长过程，也讲述了他的创业经历。

课文二　有趣的借阅规定

3/19/15

课文　⑮

　　"活人图书馆"的组织者经常会被问到的问题是：谁是你们那里最受欢迎的"书"？图书管理员是最有权威的，他们判定的标准是被"借阅"的次数。不同的国家会有不同的"最受欢迎的书"。排在丹麦"大活人图书馆"排行榜首位的是"阿拉伯人"；葡萄牙"图书馆"被"借阅"次数最多的是一个移民；而英国则是一名前黑社会成员。

当然，并非所有人都能有幸成为一本"书"。为了保证"图书"质量，"图书馆"会花大量时间进行筛选。他们会和每本"候选书"进行谈话，"候选书"需要说明自己的主题以及为什么希望成为一本"书"。无论主题是什么，成为"书"的动机正确与否是最重要的。

活人图书馆的"书"，是坚持自己的信念并勇敢地和大家分享的人。目前丹麦"活人图书馆"里共有55本这样的"书"。他们其实都是一些承受着种种偏见的普通人，他们来做"图书"供人"阅读"完全出于自愿，而且不需要报酬。"图书馆"鼓励"读者"提问或发表看法，但一切都要以尊重"图书"为准。

■"读者"需要事先办理一张借阅卡，每次的"借阅"内容都会在卡上有记录。

■每本"书"可以由一群人分享，但"借阅"时间一般不得超过45分钟。

■"读者"每次只能借走一本"书"，但是把"书"带回家是绝对不允许的，只能在图书馆限定的区域内"阅读"。至于在图书馆的咖啡馆还是楼梯上，由"读者"和"书"共同商量。

■如果你不知道自己该选哪本"书"，可以求助图书馆管理员。他们会出示一张"书目"，上面列着"移民""肥胖者""女消防员"，等等，让你从中选择自己感兴趣的。

■"书"也有选择"读者"的权利，如果感觉受到冒犯，"书"可以自己回图书馆。

（选自《北京晚报》）

生 词 ▶ 16

1.	判定	pàndìng	（动）	分辨断定。(judge; decide; determine)
2.	借阅	jièyuè	（动）	借图书、资料等来阅读。(to borrow books to read)
3.	排行榜	páihángbǎng	（名）	公布出来的按某种统计结果排列顺序的名单。(top ranking list)
4.	首位	shǒuwèi	（名）	第一位。(the first place)
5.	移民	yímín	（名）	迁移到外地或外国的人。(migrate; emigrate or immigrate)
6.	黑社会	hēishèhuì	（名）	指社会上进行非法犯罪活动的有组织的黑暗势力。(the underworld)

7.	有幸	yǒuxìng	（形）	幸运，有运气。(be lucky to; have the good fortune to)
8.	筛选	shāixuǎn	（动）	泛指在同类事物中去掉不需要的，留下需要的。(name as; select)
9.	动机	dòngjī	（名）	推动人从事某种行为的念头。(motive; intention)
10.	信念	xìnniàn	（名）	自己以为可以确信的看法。(faith; belief)
11.	限定	xiàndìng	（动）	指定范围、限度，不许超过。(limit; restrict)
12.	消防员	xiāofángyuán	（名）	专业从事救火和防火的人。(fire fighter)
13.	冒犯	màofàn	（动）	在言词或举动上没有礼貌，冲撞了对方。(offend; affront)

边学边练

自愿(voluntary, zi yuan)　分享(share)　绝对(absolutely, jue dui)　并非(is really not, bing)　筛选

候选(candidate)　权威(quanwei, authority)　冒犯　限定　排行榜

1. 我们将对这 50 件 __权威__ 作品进行投票，评选出 3 件最佳作品。

2. 产品质量是否符合国家标准，要经过国家 __候选__ 机构检验才行。

3. 他的这首新歌大受欢迎，已经连续三周名列 __排行榜__ 的首位。

4. 发生这样的事情 __并非__ 偶然，要好好找一下原因。

5. 经过严格的 __筛选__ 和考核，最后有三个人被公司录取了。

6. 这一次的游学活动大家 __自愿__ 报名参加，费用自理。

7. 有一点请大家注意，会议期间 __绝对__ 不允许接听手机。

8. 互联网为我们提供了 __分享__ 信息资源的途径和机会。

9. 刚才说话 __冒犯__ 了您，还请您不要见怪，多多原谅。

10. 所有这些都应该在 __限定__ 的时间内完成，而且要保证质量。

5/20/15

课文三　组建"活人图书馆"，征集"活人"

课　文　17

组建活人图书馆，为的是增强人与人之间的交流，交流彼此的经验，消除各种偏见。活人图书馆中的"书"都是志愿者，和图书馆一样，我们的借阅服

务也是免费的。

作为"书",可以编写自己的"标签"和"简介",以便吸引更多的读者。因此,我们需要那些想成为"书"的志愿者提交自己的申请,内容包括自己的"书名"(不是姓名)、"简介"(不是简历)、"标签"(不是身份)等。

整个活动的流程如下:

● 愿意和大家分享经历的志愿者向我们提交申请表

● 我们根据收到的申请表编制"图书目录",并向读者公布

● 读者向我们申请借阅某"书"

● 由我们通知作为"图书"的志愿者,在某个相对集中固定的时间、地点,读者进行"阅读"

● 读者根据自己的"阅读经历"向我们提交"书评",这些书评有机会成为"图书目录"中的新的介绍内容

凡是想申请成为"书"的朋友,请参照下面的志愿者申请表描述自己的情况,并将你的申请表电邮给我。我的邮箱是:mbook@baidu.com。欢迎加入"活人图书馆",分享人生!

志愿者申请表样例

书号	
主题	【如:留学、考研、减肥、美容、心理学、法律】
书名	【如:《在三十天瘦下五十斤》《我是如何通过口译考试的》《我是一名朋克①》】
标签	【如:同性恋、素食主义者、刑满释放者、佛教徒、前特种兵、恋爱达人、麦霸②】
内容简介	【反映书的特点、限定阅读内容、方便读者检索、方便读者阅读】
可借阅时间	【请务必填写】
联系方式	【建议留下手机号码,以便及时沟通】

(选自吴庆元的博客)

---

① 朋克(péngkè):行为不端的男性青少年、小流氓、废物等。(punk)

② 麦霸(màibà):指唱卡拉 OK 时霸占着麦克风不放的人。

生　词　18

1.	标签	biāoqiān	（名）	标明物品名称、价格、规格的纸签。(label; tag)
2.	简介	jiǎnjiè	（名）	简要介绍的文字。(brief introduction; synopsis)
3.	以便	yǐbiàn	（连）	用在下半句开头，表示使下文所说的目的更容易实现。so that; in order to; so as to; for the purpose of
4.	提交	tíjiāo submit	（动）	把需要讨论、决定或处理的问题交给有关机构或会议。submit (a problem etc.) to; to refer to
5.	流程	liúchéng	（名）	工艺流程，各项工序安排的程序。a technical process; an order of business
6.	书评	shūpíng	（名）	评论或介绍书刊的文章。book review
7.	参照	cānzhào	（动）	参考仿照。consult & follow
8.	描述	miáoshù	（动）	描写叙述。describe
9.	达人	dárén (expert)	（名）	流行用语，指在某方面很精通的人，某方面的高手。an intelligent and well informed person
10.	检索	jiǎnsuǒ	（动）	检查搜索所需要的文字或资料。refer to; look up
11.	沟通	gōutōng	（动）	交流彼此的意见。link up

边学边练

提交　　标签　　参照　　固定　　凡是
fixed; regular　every; any; all
gùdìng　fánshì
give clear indication of　place of production or origin
chǔmíng
approve
pīzhǔn

1. 每件商品的背后都贴着一个　标签　，上面注明了价格和产地。

2. 我们的项目计划书已经　提交　给相关部门了，希望能够获得批准。
xiàngmùjìhuà　xiāngguān　be mutually related

3. 俱乐部的活动有　固定　的安排，最好不要随意调换。
jùlèbù　diàohuàn→exchange; swap; change
gain; obtain

4. 欢迎大家的光临，　凡是　参加的客人都有机会获得一份奖品。

5. 具体填写格式，请　参照　我们提供的样本。

课堂活动与任务

一、模仿例子说出更多的词语。

　　1. 活自传：＿＿＿＿＿＿　　＿＿＿＿＿＿　　＿＿＿＿＿＿

2. 借阅卡:_____   _____   _____

3. 组织者:_____   _____   _____

4. 筛选:_____   _____   _____

5. 前特种兵: 前女朋   前(总同)   _____

二、选择词语,灵活运用。

指的是	务必	凡是	活……	不得
为的是	进而	偏见	筛选(select)	分享

1. 由于我们的时间有限,请大家 务必 抓紧时间(大快)

2. 出于安全考虑,飞行员每天飞行 不得 chao 过的 8 小时。

3. 他对这个城市的每一个地方都了如指掌,被人们称为 " 活地图 "。

4. 他们之所以参加这样的志愿活动,就是为了 消除偏见 ,达到人人平等。

5. 你刚才说到他的代表作,请问你 指的是 活者看文3吗?

6. 我们希望先稳定在国内市场的地位, 进而问病过完市场

7. 他经常变换发型, 为的是 能给人一种新鲜感,吸引别人的注意。

8. 我们从几千名报名者中 筛选 20 人参加最后的决赛。

9. 凡是公司yangong ,都要与公司签订一份劳动合同。

10. 他第一时间把好消息告诉了父母, 跟父母分享 成功的喜悦。

三、参考所给词语,根据课文内容说一说。

1. 什么是"活人图书馆"?

   (所谓……,指的是……   就是   为的是)

2. "活人图书馆"与普通图书馆有什么不同?

   (其实   虽然……,却……,而是……)

3. 说一说"活人图书馆"的"书"。

   (所谓……,指的是……   进而   偏见   筛选)

4. "活人图书馆"有哪些借阅规定？

（需要　不得　不允许　凡是）

5. 如何成为"活人图书馆"中的一本"书"？

（为的是　以便　凡是）

四、举一反三。

1. 虽然名字叫图书馆，这里却没有一本传统意义上的书，而是出借一个个"大活人"。

（1）虽然电话就在手边，他们却 <u>不知道怎么用</u>，而是 <u>他们喜欢面对面说话</u>。

（2）<u>虽然是妈妈和</u> _____，而是像朋友一样无话不谈。

（3）<u>虽然我有作业，我都不做，而是我想去出玩儿。</u>

2. 所谓"借阅"，指的就是和"书"进行面对面的交流学习。

（1）所谓绿色包装，<u>指的就是好的环境的包装。</u>

（2）所谓"空调病"，<u>指的就是如果你的房子太冷了，你可能生病。</u>

（3）<u>所谓"洋鬼子"，指的就是一个外国人。</u>

3. 他们让"读者"了解自己的处境、想法，希望能增强交流，进而消除人类偏见。

（1）掌握最新的市场信息，_____。

（2）<u>城市新的计划是成为更</u>，进而达到美化城市的目的。

（3）<u>我想找到很好的工作，挣很多钱，进而我想幸福。</u>

4. 组建活人图书馆，为的是增强人与人之间的交流，消除各种偏见。

（1）他们在机场等了两三个小时，为的是 <u>飞机维修</u>。

（2）选择在家上学，<u>为的是省钱，可能是一个不好的原因</u>

（3）<u>如果你买东西，为的是买东西，是一个不好的特点。</u>

5. 建议留下手机号码，以便及时沟通。

（1）我们为所有资料做了一个目录，<u>以便给你们一个看一看的内容。</u>

（2）_____，以便能作好相关准备。

（3）<u>我们今天出去了超市，以便明天我们不会饿死了。</u>

五、交际策略——对事物或概念加以解说

对某一事物或概念进行解释、说明，可以使用"……就是……""所谓……，就是指/指的就是……""……，其实……"，类似的还有"……，意思是说……""……，更准确地说是……"。除此之外，还可以就目的、作用等作进一步解释说明，如"……，为的是……""……，以便……"。

1."活人图书馆"，就是以人为"书"的图书馆，人就是这座图书馆的馆藏。

2.活人图书馆中的"书"，其实是和我们大多数人一样的普普通通的人。

3.所谓"借阅"，指的就是和"书"进行面对面的交流学习。

4.组建活人图书馆，为的是增强人与人之间的交流，消除各种偏见。

5.作为"书"，可以编写自己的"标签"和"简介"，以便吸引更多的读者。

试着使用上述方法对下面的事物或概念作一下解释说明。

1.朋克 →punk (music style)

2.麦霸

3.特种兵 → soldier; special technical troops

4.亚健康

5.恋爱达人 → an intelligent; well informed person

6.素食主义者 ↓ doctrine

六、表达训练——要求

读一读，想一想：

◇"图书馆"鼓励"读者"提问或发表看法，但一切都要以尊重"图书"为准。

◇"读者"需要事先办理一张借阅卡，每次的"借阅"内容都会在卡上有记录。

◇"借阅"时间一般不得超过45分钟。

◇"读者"每次只能借走一本"书"，但是把"书"带回家是绝对不允许的。

◇请务必填写可借阅时间。

你认为上面这几句话都是在谈什么内容？你会用什么语气说这几句话？

小贴士

"要/需要……""不得……""（绝对）不允许""凡是……必须/都要……""务必……"都可以用来提出要求或注意事项，要求做某事或不做某事。要使用相对比较严肃的语气。

试一试，说一说：

1. 一般考场的规定

2. 办公场合的行为

3. 服务员与顾客的关系

4. 面试时的注意事项

5. 参观博物馆的注意事项

七、完成任务。

为"活人图书馆"安排一次广告活动，向人们介绍"活人图书馆"。

活动主题	
活动时间	
活动地点	
出席人员	
活动安排	
其　　他	

八、小组讨论。

1. 说说你对"活人图书馆"的看法。

2. 如果你是活人图书馆的一本"书"，你会是一本什么样的"书"？

3. 如果你去活人图书馆借阅一本"书"，你想借阅哪一类"书"？

内容链接一

图书目录样例

活人图书馆图书目录		备注
书号	2009031801	
主题	留学	
书名	《圆一个飞跃的梦》	
标签	数学爱好者　论文达人　天才　亚健康　未来留学生	
内容简介	本"书"学习成绩名列前茅，从小酷爱数学，学习本专业的同时选择应用数学作为自己的第二专业。大三开始，主动联系学院教授，较早地投入到科研工作中，经过一年多的努力，现已在国际学术期刊上发表论文一篇。已拿到美国两所大学的全额奖学金录取通知。 　　未来规划：出国深造，争取获得博士学位——圆一个飞跃的梦！	
可借阅时间	每周六 18：00～20：00	
读者评论	很精彩	
被借阅次数	10	排名第 8 位

（选自吴庆元的博客）

内容链接二

隐私及权利声明

1. 我们保证所收集的读者与志愿者信息仅用于活人图书馆借阅活动；

2. 读者及志愿者均有权随时停止"借阅"；

3. 志愿者有回答和不回答某个问题的权利；

4. 我们仅提供交流平台，读者与志愿者交流内容仅代表个人观点，我们不负法律责任；

5. 读者及志愿者的非活人图书馆借阅活动与我们无关，我们不负法律责任；

6. 我们不保证每位读者或志愿者的"借阅"历程都是轻松愉快的，但我们将为之努力；

7. 我们保留拒绝某位读者或志愿者的权利；

8. 读者及志愿者提交申请表即默认为同意以上条款。

以上条文解释权归本图书馆所有。

（选自吴庆元的博客）

我的收获

◎ 重点词语

◎ 表达方式

◎ 精彩观点

◎ 文化差异

◎ 其他方面

爱上搜索

表达方式

1 ……，……，甚至……，都……

1. 电影里的小细节，身体突然出现的小毛病，甚至是回家路上偶然遇到的那只猫的品种，都成了时下年轻人的搜索对象。

2. 房子的结构，房间的布置，甚至桌上摆放的花，都和梦中见到的一样。

3. 中午休息的时候，下午下班以后，晚上睡觉前，甚至是夜里起来，都要点击一下鼠标，看看网上的最新状态。

2 之所以……，（就）是因为……

1. 我之所以这么喜欢玩儿网络游戏，其实再简单不过了，就是因为它有意思。

2. 之所以让他负责这次的广告文案，是因为他有过相关的经验。

3. 他之所以想来做志愿者，就是因为他想通过自己的努力消除人们的偏见。

3 动不动（就）……

1. 现在各种娱乐消费都太高了，动不动就几十块、上百块。

2. 他太迷恋网络游戏，一玩起来就不停，动不动就是几个小时。

3. 公司的业务太忙了，动不动就要加班，周末也是如此。

4 除了……还是……

1. 下了课，除了写作业还是写作业。

2. 他连节假日也不休息，除了工作还是工作。

3. 他不会做什么饭，每次除了西红柿炒鸡蛋还是西红柿炒鸡蛋。

5 ……，（但）更……的是，……

1. 这是青少年迷恋网络的一个主要原因。但更重要的是，网络本身的内容、游戏的设计更有诱惑力。

2. 影视作品中的暴力场面不少，但更应引起注意的是，网络游戏中的暴力内容随处可见。

3. 他用三十几秒钟就拼好了魔方的六面，更让人想不到的是，他竟然是闭着眼睛完成的。

6 ……，特别是……，甚至……

1. 每天上网时间越来越长，自己无法控制，特别是晚上常常上网到深夜，甚至整夜不睡，严重影响了正常的工作、学习和生活。

2. 这一年来公司遇到了很多困难，特别是出口方面，有些产品甚至一个出口合同也没有。

3. 这次地震造成的损失很大，特别是道路和房屋建筑，有些村镇的房子甚至全部倒塌。

课文一　爱上搜索

课文 19

"什么人一年只上一天班还不怕被解雇？"网友"小鱼"收到这样一个脑筋急转弯①的问题，他想了几秒钟，然后开始上网搜索，答案很快找到了——圣诞老人。

像"小鱼"的这种做法，现在很多白领并不陌生（mòshēng）。收到猜谜语的短信后上网寻找答案，逛街购物前上网比较价格，发现

---

① 脑筋急转弯（nǎojīn jí zhuǎnwān）：泛指一些不能用通常的思路来回答的智力问答题。

身体不适后上网"诊断"病情，只要发现不懂的事情，马上上网搜，不用动脑筋，就能迅速找到答案。这种对互联网搜索引擎的依赖，已经不知不觉地影响着许多人，改变着许多人的行为习惯。

有网友说，从早上一睁开眼睛开始，去哪儿吃早饭、坐哪几路车、文案怎么写、作业怎么做、哪个牌子的化妆品更适合自己，还有明星们的八卦[2]、电影里的小细节、身体突然出现的小毛病，甚至是回家路上偶然遇到的那只猫的品种，都成了时下年轻人的搜索对象。不再费力去记忆，不再绞尽脑汁思考问题，不再为一个观点而争论，遇到事情后打开电脑敲上几个字，让互联网帮助自己。"不记、不想、不争"，已经是许多都市白领最普遍的互联网行为。

生　词　[20]

1.	搜索	sōusuǒ	（动）	仔细寻找。
2.	解雇	jiěgù	（动）	终止雇用。
3.	诊断	zhěnduàn	（动）	给病人作检查后，根据检查结果判断病情及其发展情况。
4.	引擎	yǐnqíng	（名）	发动机。
5.	依赖	yīlài	（动）	依靠某种人或事物，不能离开此人或事物而独立存在。
6.	文案	wén'àn	（名）	公司中的公文、书信，以及用来表现某种方案或创意的文字。
7.	细节	xìjié	（名）	细小的环节或情节。
8.	时下	shíxià	（名）	目前，现在。
9.	绞尽脑汁	jiǎo jìn nǎozhī	（成）	费尽脑筋，想尽一切办法。

---

② 八卦（bāguà）：指非正式的小道消息或者新闻。

边学边练

文案　　解雇　　时下　　搜索　　依赖　　绞尽脑汁

1. 他皱着眉头，努力在记忆中 ___搜索___ 学过的相关词语，可一时什么也想不起来。

2. 他总是在上班时间上网聊天，什么工作也不做，没几天老板就把他 ___解雇___ 了。

3. 我的汉语水平还很有限，在阅读这些材料时还得常常 ___依赖___ 词典。

4. 这个广告的整体设计已初步完成，不过其中的 ___文案___ 部分还要再修改。

5. 他 ___绞尽脑汁___ 也想不出办法来，只好求助于别人。

6. 在都市白领中，这可是 ___时下___ 最流行的一款网络游戏。

课文二　为什么对网络游戏如此着迷

课文 21

网络游戏爱好者： 我之所以这么喜欢玩儿网络游戏，其实再简单不过了，就是因为它有意思。我想每个人都一样，都需要自我的满足，而我在游戏里就非常有满足感，其他聊天、电影、音乐什么的也就无所谓了。有的时候我甚至想，只要有一台电脑，我可以和它过一辈子。

网吧游戏玩家③： 我经常到网吧来玩儿游戏，其实就是因为这儿的消费低。现在各种娱乐消费都太高了，动不动就几十块、上百块，相比起来，现在所有娱乐的地方，网吧最便宜。

游戏厅老板： 现在的孩子们多可怜啊！他们的课外生活其实很无聊，下了课，除了写作业还是写作业，还能做什么？也就是打打游戏放松一下，这样还

---

③ 玩家（wánjiā）：特指一些常玩儿电脑游戏的人，后应用到最新的电子产品的使用者，如 DV 玩家、手机玩家等。

免得他们去做别的坏事，没什么不好。

教育专家：学生们喜欢上网、喜欢网游，我个人认为大概有这么几个原因：首先，玩儿游戏是孩子的天性，好玩儿、好奇、好胜，他们在网络游戏中可以找到自己的兴趣点，通过玩儿游戏，尤其是过关、升级，获得一种成就感。第二个原因呢，可能是学校、家庭生活比较沉闷，压力比较大，他们在网络中可以找到自己发泄的空间。第三个呢就是，网络是一种虚拟的世界，孩子们可以在里面尽情展现自己的特长和才华，丝毫不受约束，那么他们迷上网络、迷上游戏也就是很自然的事情了。

中学教师：不少青少年其实很值得同情，我也常常为他们感到难过。说实在的，他们迷恋网络游戏、迷恋网吧，实际上跟我们现在的教育体制有很大的关系。不能不承认，我们现在还是一个应试教育④体制，孩子的学习压力很大。在学校、在课堂，甚至在家庭，他们的自由都是有限的。在这个前提下，进入网络的虚拟空间参与这种游戏，对他们来说是获得了一种自由。我觉得这是青少年迷恋网络的一个主要原因。但更重要的是，网络本身的内容、游戏的设计，还有先进的网络技术，这些比我们在学校教的任何课程都更符合孩子们的需求，这对孩子来说是一种强大的诱惑力。

生 词 `22`

1.	着迷	zháomí	（动）	对人或事物产生强烈的爱好，入迷。
2.	过关	guòguān	（动）	通过关口，通过考验或考查。
3.	升级	shēngjí	（动）	升到比原来高的等级。
4.	沉闷	chénmèn	（形）	沉重，烦闷，心情不舒畅。
5.	发泄	fāxiè	（动）	把内心的不满情绪等尽量释放出来。
6.	虚拟	xūnǐ	（形）	凭想象编造的，不符合或不一定符合事实的。
7.	尽情	jìnqíng	（副）	尽量由着自己的情绪，不加拘束。

④ 应试教育（yìngshì jiàoyù）：通常指那种主要依靠考试成绩衡量、选拔学生的教育模式，与素质教育相对。

8.	约束	yuēshù	（动）	限制，使不超越某一范围。	keep within bounds; restrain
9.	迷恋	míliàn	（动）	过度爱好而难以舍弃。	be infatuated with; madly cling to
10.	体制	tǐzhì	（名）	国家、机关等的组织制度。	structure; system of organization
11.	前提	qiántí	（名）	事物发生或发展的先决条件。	premise; prerequisite; presupposition
12.	参与	cānyù	（动）	参加。	participate in; involve oneself in
13.	诱惑	yòuhuò	（动）	吸引。	entice; tempt; seduce; lure — attract; draw; fascinate

边学边练

着迷　过关　升级　参与　动不动　一辈子

escalate _can't help; does sth often_ _all one's life / yibeizi_

1. 电影里的中国功夫让他 **着迷**（*gongfu*），他决定到少林寺拜师学艺。

2. 这位老人从来没有离开过家乡，他在这里生活了 **一辈子**。（*this person* ← *likai leave*）

3. 他特别爱生气，**动不动** 就发脾气，同学们都不愿意跟他玩儿。

4. 我申请了一份工作，现在笔试已经 **过关**，就等面试了。

5. 这款电脑杀毒软件一年内可以免费 **升级**、更新。

6. 和大家一起做游戏，输赢不重要，重要的是 **参与**。

课文三　网络成瘾

3/27/15

课文 23

　　烟、酒能使人上瘾，赌博、吸毒能使人上瘾，同样，上网也能让人上瘾。网络极大地丰富了人们的生活，面对网上的种种诱惑，很多人，特别是青少年，沉迷在网络的虚拟世界中不能自拔。

　　究竟什么是网瘾呢？它叫做"网络成瘾综合症"，又叫"病理性上网"。上网者由于长时间地、习惯性地生活在网络的虚拟世界中，对互联网产生强烈的依赖，以至于到了不能自拔的程度，不上网就像缺了什么似的。他们可以不吃饭、不睡觉，但是不上网却无论如何做不到。有的人即使意识到问题的严重性，却仍会继续。

那么究竟什么人才算染上了网瘾呢？一般来说，每天上网时间 8 小时以上，而且越来越长，自己无法控制，特别是晚上常常上网到深夜，甚至整夜不睡，严重影响了正常的工作、学习和生活。再有就是性格改变，行为反常，比如逃学、说谎、不与人交往、对人冷淡、动不动就发脾气、一关电脑就烦躁不安，等等。这样的人都可以说是染上了网瘾。

生 词 ㉔

1.	上瘾	shàngyǐn	（动）	爱好某种事物到了离不开的程度。
2.	赌博	dǔbó	（动）	用财物作注比输赢。
3.	吸毒	xīdú	（动）	吸食或注射毒品。
4.	沉迷	chénmí	（动）	对某种事物深深地迷恋。
5.	自拔	zìbá	（动）	主动从痛苦或罪恶中解脱出来。
6.	现状	xiànzhuàng	（名）	目前的状况。
7.	反常	fǎncháng	（形）	异常，跟正常情况不同。
8.	烦躁	fánzào	（形）	烦闷焦躁。

边学边练

上瘾　说谎　以至于　动脑筋　不能自拔

1. 这种游戏他刚玩了两三次就 ___上瘾___ 了，现在一下课就玩。

2. 人们在 ___说谎___ 的时候，往往会脸红、心跳加快。

3. 为了在规定时间内完成任务，他们紧张地工作，___以至于___ 连吃饭、睡觉的时间都没有。

4. 孩子们喜欢那些需要 ___动脑筋___ 的问题，而不是要死记硬背的知识。

5. 这件事之后，他一直都很痛苦，始终陷入其中，___不能自拔___。

课堂活动与任务

一、模仿例子说出更多的词语。

1. 爱上：__看上__　　__喜欢上__　　__迷上__

2. 满足感：__安全感__　　cheng __就感__　　__好感__　　美感

喜欢

3. 好（hào）玩：__好学__　　__好吃__　　__好客__

4. 兴趣点：__有点/都点__　　__重点__　　__不/相同点__

5. 诱惑力：__智力__（meili）　　__能力__　　__视力__

6. 上瘾：_____

7. 反常：__反对　反语__　　__反正__　　__反感__

二、选择词语，灵活运用。

迷上	好胜	沉迷	特别是	动不动
依赖	除了	……感	转折点	以至于 (?)

1. 学完了这本书，表达水平有了提高，老师和学生__成京尤感。__。

2. 昨天的比赛对我们来说__是是 转折点__，整个球队的状况发生了很大变化。

3. 游戏几乎是他的一切，他每天__除了玩儿游戏__还是玩儿游戏，已经__沉迷__不能自拔了。

4. 看过电影《霸王别姬》之后，他__迷上__了中国京剧。

5. 有些孩子染上网瘾后，开始说谎，__特别是__说谎骗钱。

6. 随着手机的普及，人们对手机的__依赖(性很大)__有些人甚至到了离不开的地步。

7. 他这种争强__好胜__的心理其实给了他很大的压力，让他不能放松自己。

8. 为了去网吧，他__动不动__就跟同学借钱，__以至于__现在同学谁见了他都躲。

三、参考所给词语，根据课文内容说一说。

1. 从课文一来看，时下年轻人习惯做什么？

（发现　搜索　甚至……都……）

2. 课文二中，网络游戏爱好者喜欢网游的原因是什么？

（之所以……就是因为……　满足感　其实　动不动）

3. 课文二中，其他人怎么看喜欢网游这个问题？

（除了……还是……　免得　成就感　尤其　首先　甚至　更……的是）

4. 根据课文三，网络和烟、酒、赌博等有什么共同点？

（上瘾　诱惑　沉迷　不能自拔）

5. 根据课文三，说说什么是网瘾及其表现。

（依赖　以至于　特别是……，甚至……　动不动　染上）

四、举一反三。

1. 电影里的小细节，身体突然出现的小毛病，甚至是回家路上偶然遇到的那只猫的品

种，都成了时下年轻人的搜索对象。

（1）这对双胞胎的外貌、声音、动作，甚至 他们的写法都一样 。

（2） 男人的外貌、声音动作 甚至他们的吃法 ，都对我们有着极大的吸引力。

（3） _____ 。

2. 我之所以这么喜欢玩儿网络游戏，其实再简单不过了，就是因为它有意思。

（1）青少年之所以那么迷恋网游， 就是因为他们不喜欢现实 。

（2） 我之所以这么喜欢这条裤子 ，就是因为它很适合我。

（3） 我的父母之所以总是很高兴，就是因为我在大学 。

3. 现在各种娱乐消费都太高了，动不动就几十块、上百块（加温高）。

（1）我不喜欢这样的节目， 动不云就尤我的家人常常问我很多的问题 。

（2） 我讨厌他因为他云不云就会说 ，我看谁也受不了他。

（3） Ahong 云不云迟到来上课 。

4. 下了课，除了写作业还是写作业，还能做什么，也就是打打游戏放松一下。

（1）＿＿＿＿＿＿＿＿＿＿＿＿，学生们一到这个时候就格外紧张。

（2）运动员每天的生活其实很单调，＿＿＿＿＿＿＿＿＿＿＿＿＿＿。

（3）Ahong 每天，除了带一个 maozi 还是带一个 maozi，如果他没带我都是 jingcha。

5. 这是青少年迷恋网络的一个主要原因。但更重要的是，网络本身的内容也很有诱惑力。

（1）对我来说，公司是否有名是一个方面，但更＿＿＿＿＿＿＿＿

（2）＿＿＿＿＿＿＿，但更＿＿＿＿＿＿，他将参加奥运会的比赛。

（3）＿＿＿＿＿＿＿＿＿＿＿＿＿＿＿。

6. 每天上网时间越来越长，自己无法控制，特别是晚上常常上网到深夜，甚至整夜不睡，严重影响了正常的工作、学习和生活。

（1）近年来价格不断上涨，特别是 衣服的价格，甚至一条裤子是一千元

（2）这对双胞胎的 外貌一样，＿＿＿＿特别是他们的声，甚至连父母也不能告诉。

（3）他不知道怎么做菜，特别是不知道怎么用一个 stove。甚至他不可以煮水。

五、交际策略——列举说明

在说明事物的表现、原因等时，可以使用并列词语、并列句，还可以使用解说复句、递进复句对所述内容进行列举说明，如："首先……，其次／第二……，第三……""……，……，甚至……，都……""……，特别是……，甚至……""……，更……的是……"等，类似的表达方式还有"一是……，二是……，三是……""一来……，二来……"等。

1. 他们行为反常，比如逃学、说谎、不与人交往、对人冷淡、动不动就发脾气，等等。

2. 去哪儿吃早饭、坐哪几路车、文案怎么写、作业怎么做，他们都要上网搜一搜。

3. 学生们喜欢网游大概有这么几个原因：首先，玩儿游戏是孩子的天性；第二个原因，可能是因为压力比较大，他们需要发泄；第三个就是，孩子们在网络这个虚拟世界里可以丝毫不受约束。

4. 电影里的小细节、身体突然出现的小毛病，甚至是回家路上偶然遇到的那只猫的品种，都成了时下年轻人的搜索对象。

5. 个人性格是一方面的原因，更重要的是学校和家庭对他们的影响。

6. 这次去海南，一来是散散心，二来是去看看多年不见的几个老朋友。

试着使用上述方法列举说明下面的情况。

1. 网上可以做什么

2. 网上可以搜索到哪些内容

3. 爱上搜索的表现

4. 网友离不开网络的原因

5. 喜欢或不喜欢在国外生活的原因

6. 逃课的借口和不能逃课的理由

六、表达训练——同情、惋惜

读一读，想一想：

◇ 现在的孩子们多可怜啊！

◇ 不少青少年其实很值得同情。

◇ 我也常常为他们感到难过。

你认为上面这几句话表达了什么样的心情？他们是用什么语气说这几句话的？

小贴士

"真可怜""……多可怜啊""……值得同情""为……难过"都可以用来对某事或某人表示同情、惋惜，多用同情的语气。

试一试，说一说：

1. 一个乞丐在街上流浪。

2. 一个孩子因为染上网瘾而退学。

3. 一名运动员输了一场重要的比赛。 真可惜

4. 一个朋友的宠物丢了。

七、完成任务。

1. 调查一下同学们在网上最常搜索的内容是什么，并列出搜索内容排行榜。

2. 找出几个帮助青少年戒除网瘾的方法。

八、小组讨论。退休　怒力

1. 你有网瘾吗？

2. 你有搜索引擎依赖症吗？

3. 我们是否过于依赖网络了？

4. 青少年容易网络成瘾的原因是什么？

5. 你认为哪些戒除网瘾的方法是可行的？

内容链接一

网瘾问题的产生

"网瘾"问题的产生既有主观上的也有客观上的原因。从主观方面来说，性格内向、自制力差、无成就感、自卑、自闭、压抑、好奇、缺少朋友的人容易成瘾，网络可以给予他们在现实生活中得不到的东西。客观原因包括家庭和学校教育：批评多、要求严、沟通少、得不到尊重。比如，有些青少年的父母总是在外面忙自己的事，根本顾不上孩子；还有的家庭本身就是单亲，或者父母关系不和。因此，孩子常常进网吧，因为"在那里熟人多，大家会关心他"，或者在虚拟社会、网络游戏中找到自己的朋友和知音。再有就是计算机普及快，而教育、娱乐的正面软件滞后；法制不健全；学校、社会、家庭对上网的制约等。

内容链接二

网瘾自我诊断

网络成瘾自测表

1. 你是否对网络过于关注（如：下网后还想着它）？

2. 你是否感觉需要不断增加上网时间，才能感到满足？

3. 你是否难以减少或控制自己对网络的使用？

4. 当你准备下线或停止使用网络时，你是否感到烦躁不安、无所适从？

5. 你是否将上网作为摆脱烦恼和缓解不良情绪（如：紧张、抑郁、无助）的主要方法？

6. 你是否对家人或朋友掩饰自己对网络的着迷程度？

7. 你是否由于上网影响了自己的学习成绩、工作状态或朋友关系？

8. 你是否常常为上网花很多钱？

9. 你是否觉得下网时心情不好（如：烦闷、压抑），而一上网就精神了？

10. 你上网的时间是否经常比你预计的要长？

说明：答一个"是"得1分，算算你的总分有多少。

　A. 总分5分以下：网瘾不大。

　B. 总分5分～7分：网瘾较大。

　C. 总分8分～10分：网瘾很大，需要诊断是否患了网络成瘾综合症（IAD）。

（选自《青少年网络安全导航》）

我的收获

◎ 重点词语

◎ 表达方式

◎ 精彩观点

◎ 文化差异

◎ 其他方面

5 老大难问题

表达方式

1 （过去）……，随着……，（现在）……

1. 在那个年代，自行车除了是人们的代步工具之外，也是衡量当时人们生活水平的一个标准。随着时代的变迁，如今衡量人们生活水平的标准已不再是自行车。
2. 过去，吃野菜是贫穷的象征，随着物质生活的改善，如今野菜也成了"美味佳肴"。
3. 以前与外地的朋友联系只能靠写信，随着技术的更新和网络的发展，现在写信的人大概没有几个了。

2 ……，这样一来，……

1. 同样的饭菜，在中午时段要便宜许多，这样一来，可以吸引一部分顾客改在中午进餐馆消费。
2. 临时来了两个朋友，又没有订到房间，这样一来，我只好打地铺了。
3. 对方的一名主力队员在热身赛中受伤，这样一来，我们又多了一分胜利的把握。

3 ……，随之……

1. 吸引一部分顾客改在中午进餐馆消费，既缓解了晚间的压力，就餐环境、服务质量也随之有了改善。
2. 由于气温的不断升高，用电量也随之大幅度上升。
3. 出现了"假日经济"，人们的消费方式也随之发生了很大变化。

4 并非……，而……

1. 大城市堵车的原因并非只是公路少、道路窄，而在于道路资源分配的问题。
2. 这两件事情并非巧合，而是他们有意安排的。

3. 这并非是某一个城市、某一个地区的问题，而是全球性的问题。

5 （那时候）……，现在好了，……

1. 那时候不敢公开作宣传，生意很差。现在好了，我在税务部门登记后，可以公开招聘、公开做广告了。

2. 过去最怕去医院，排队就排好几个小时，现在好了，有了社区医院，医生还能上门服务。

3. 以前去哪儿都是挤公交车，现在好了，自己有了车，真方便。

课文一　自行车王国的变迁

课　文 25

中国被称为"自行车王国"，这是因为中国的人多、自行车多，人们大多把自行车作为代步工具。

40年前，谁要是骑一辆凤凰、永久或者红旗牌①自行车上下班，那无异于现在开辆高档私家车，让人羡慕得不得了。

在那个年代，自行车除了是人们的代步工具之外，也是衡量当时人们生活水平的一个标准。如果你能搞到一张自行车票，别人一定会夸你"真有两下子"。150多块钱的自行车，对一个月工资只有30多元的普通人来说，要存上一年才能买得起，许多人把能买一辆自行车作为奋斗的目标。

如今，人们生活水平不断提高，自行车渐渐被新的交通工具所替代。就是在一般的农村，大部分家庭也都用上摩托车了，条件好一点的家庭还买了汽车。

随着时代的变迁，如今衡量人们生活水平的标准已不再是自行车。但随着

① 凤凰（Fènghuáng）、永久（Yǒngjiǔ）、红旗（Hóngqí）：中国自行车品牌。

汽车越来越多，城市交通开始变得拥堵，汽车尾气加剧了环境恶化，再加上石油等能源的紧缺，自行车又重新受到人们的推崇。

　　许多人之所以仍然选择骑自行车上下班，有的是把自行车当做既方便又能强身健体的运动工具，更多的则是在寻求一种健康、环保的休闲生活方式。

（选自《邢台日报》）

生　词　26

1.	变迁	biànqiān	（动）	事物的变化转移。changes (like she)
2.	无异 （于）	wúyì	（动）	没有不同，等同。not different from, as good as
3.	衡量	héngliáng	（动）	考虑、斟酌事物的轻重得失。weigh; measure; judge
4.	替代	tìdài	（动）	代替。substitute for; replace
5.	拥堵	yōngdǔ	（动）	由于人或车辆多、拥挤而造成道路堵塞。
6.	加剧	jiājù	（动）	使程度变得更为严重。aggravate; intensify; exacerbate
7.	恶化 （关系可以恶化）	èhuà	（动）	向坏的方面变化、发展。worsen; deteriorate; take a turn for the worse
8.	紧缺	jǐnquē	（形）	因非常缺乏而供应紧张的。in short supply; badly needed
9.	推崇	tuīchóng	（动）	尊崇、重视。hold in esteem; praise highly

边学边练

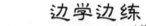

替代　　变迁　　羡慕　　衡量　　代步工具

1. 人均GDP是　衡量　一个国家富裕程度的重要标志。

2. 出租车已经成为城市生活中越来越重要的　代步工具　。

3. 他在比赛中发挥了不可　替代　的作用。

4. 大学毕业后他找到了一份令人　羡慕　的工作。

5. 随着时代的　变迁　，人们的休闲娱乐方式也有了很大的变化。

课文二 解决拥堵难题

交通拥堵是城市现代化过程中的一个"老大难"问题，很多国际大都市也都在尝试各具特色的解决办法，如发展公共交通、征收道路拥堵费、征收进城费，等等。其他行业的某些经验也许值得借鉴。

现在一些餐馆中午的价格比晚上便宜，原因是人们中午没有那么多时间，晚上则门庭若市，甚至还要排队等座，使得餐馆的就餐环境、服务的速度和质量到了晚间就要下降。于是一些餐馆就采用了午餐打折的经营策略。同样的饭菜，在中午时段要便宜许多，这样一来，可以吸引一部分顾客改在中午进餐馆消费，既缓解了晚间的压力，就餐环境、服务质量也随之有了改善。

这一"价格分流"的原理同样可以用来缓解各大城市车流高峰的堵车难题。大城市堵车的原因并非只是公路少、道路窄，而在于道路资源分配的问题。世界上没有哪个大城市能够靠新修或拓宽道路来解决好交通拥堵问题。

好的解决办法应该是价格分流，给道路的不同时段分别定价，让那些在高峰时间通过容易拥堵路段的车主们付较高的费用，以此来分流车辆，减少道路的竞争性，达到缓解交通拥堵的目的。

另一个解决交通拥堵难题的好办法就是发展轨道交通。日本轨道交通网<u>四通八达</u>，费用不高，而且准点、快捷，成为居民出行的首选。就拿东京来说吧，打开东京的地铁轻轨图，就像一张"蜘蛛网"，几乎延伸到了每个角落。高峰时每90秒发一班车，非常准时。据说，主要线路一年所有的晚点加起来才36秒，不得不让人佩服，这是你开车绝对做不到的。在交通枢纽站，不管是由市内地铁换乘市内电车，还是由市内电车、地铁换乘城郊电车、铁路，大都在站内就可以实现，不少车站的出站口直通大型商场、大型娱乐场和公司大楼。这样一来，也缓解了路面

交通的压力。此外，许多城市还在离市中心较远的地区设立了大型停车场，鼓励人们将汽车停在那里，换乘公交进城，还可以免了城里高昂的停车费。因此，日本人很少用小汽车作为上下班的交通工具，一是时间保证不了，二是停车很困难，而且停车费贵得让人心疼。如果乘公共交通远比开私家车准时、快捷、便宜，你还开车吗？

（选自《北京晚报》）

生　词　[28]

1.	征收	zhēngshōu	（动）政府依法向某一群体收取。
2.	借鉴	jièjiàn	（动）把别的人或事当镜子来对照自己，以便吸取经验或教训。
3.	门庭若市	méntíng ruò shì	（成）门口或庭院里热闹得像市场一样，形容交际来往的人很多。
4.	就餐	jiùcān	（动）吃饭。
5.	缓解	huǎnjiě	（动）剧烈、紧张的程度有所减轻，变得缓和。
6.	分流	fēnliú	（动）原指从干流中分出一股或几股水流，现在常用于指分开、分散。
7.	拓宽	tuòkuān	（动）开拓使宽广。
8.	快捷	kuàijié	（形）（速度）快，（行动）敏捷。
9.	轻轨	qīngguǐ	（名）城市公共交通所使用的铁路。
10.	蜘蛛	zhīzhū	（名）一种动物，有四对脚，能结网捕食昆虫。（spider）
11.	延伸	yánshēn	（动）延长，伸展，加大宽度、大小、范围。
12.	枢纽	shūniǔ	（名）指事物的关键部位，联系各事物或同一事物各部分的中心环节。
13.	高昂	gāo'áng	（形）（价格）高。

边学边练

堵车　征收　缓解　拥堵　轻轨　快捷　枢纽　高昂　私家车　老大难

1. 根据收入不同，<u>征收</u>的个人所得税也不同。

2. 飞机晚点是个<u>老大难</u>问题，不能把责任都推到航空公司身上。

3. 长时间使用电脑后，要经常看看远处，<u>缓解</u>一下眼睛的疲劳。

4. 前边那个路口常常<u>堵车</u>，最好避开那里，从别的路绕过去吧。

5. 短时间内彻底解决城市交通<u>拥堵</u>问题恐怕不太可能。

6. <u>私家车</u>数量猛增导致交通拥堵更加严重。

7. 北京、上海、广州是中国大陆三大航空<u>枢纽</u>。

8. 要解决<u>高昂</u>的学费问题，最好的办法就是申请奖学金。

9. 两个城市之间有了直飞航班，这大概是最方便、最<u>快捷</u>的交通方式了。

10. 这个地段的房子价格上涨了，因为这里马上就要通<u>轻轨</u>了。

课文三　代驾服务

课文 ②29

　　酒后驾车一直是交通事故高发的主要原因之一，可喝酒应酬有时又是不可避免的社交活动，所以代驾服务应运而生，而且社会需求日益强烈。为规范这一行业的发展，工商部门开始受理此类公司的登记注册申请。

　　"最开始我也做过代驾业务，不过都是个人行为。"王先生告诉记者，像许多打"擦边球②"的代驾者一样，他开始也是时不时在网上发发帖子，寻找有代驾需求的人。"那时候不敢公开作宣传、打广告，生意很差，一个月才接五六单。很羡慕国外有这样的公司，总是想，要是我也能合法地从事这个职业该多好啊。现在好了，我在税务部门登记后，可以公开招聘、公开做广告了。"

---

② 擦边球（cābiānqiú）：打乒乓球时擦着球台边沿的球，后用来比喻在规定的界限边缘而不违反规定的事。

　　王先生表示，为了避免与顾客产生不必要的纠纷，他对员工的招聘要求也是十分严格的，比如要五年以上驾龄、熟悉各种车型、本地户口或有人担保。"我希望和自己的团队一起，对顾客负责到底！"

生　词　[30]

1.	应酬	yìngchou	（动）	交际往来。
2.	应运而生	yìng yùn ér shēng	（成）	顺应时运而产生，指随着形势的发展而出现。
3.	规范	guīfàn	（动）	约定或明文规定某一标准，并使人或事合乎这一标准。
4.	受理	shòulǐ	（动）	接受并办理，接受并处理。
5.	时不时	shíbùshí	（副）	时常。
6.	帖子	tiězi	（名）	原指邀请客人的书面通知，现在用于表示网上留言。
7.	公开	gōngkāi	（形）	不隐蔽的，面对大家的。
8.	税务	shuìwù	（名）	税收的相关工作。
9.	纠纷	jiūfēn	（名）	争执不下的事情。
10.	担保	dānbǎo	（动）	表示负责，保证做到或保证不出问题。

(handwritten annotations: 1. have social intercourse with; a social engagement; 2. arise at the historic moment; emerse as the times demand; 3. standard; norm; 4. (legal) accept (access); 5. often; time and again; 6. invitation)

边学边练

应酬　　羡慕　　时不时　　酒后驾车　　代驾服务　　应运而生

1. 与我们相比，各国对_____的处罚都更加严厉。

2. 为了与客户搞好关系，不得不参加一些_____活动。

3. 真_____那些自由职业者，不想工作的时候就能不工作。

4. 他很认真地听着，还_____在本子上记下点儿什么。

5. 这些公司不仅为客户提供酒后_____，还提供旅游代驾、商务代驾。

6. 主人外出时宠物怎么办？为了满足这类人群的需要，"宠物酒店"_____。

课堂活动与任务

一、模仿例子说出更多的词语。

　　1. 加剧：_____　　　_____　　　_____

　　2. 就餐：_____　　　_____　　　_____

　　3. 车型：_____　　　_____　　　_____

　　4. 不可避免：_____　　　_____　　　_____

二、选择词语，灵活运用。

私家车	随着	并非	拥堵	这样一来
两下子	随之	缓解	借鉴	代步工具

　　1. 虽然_____越来越普及，但自行车仍然是中国老百姓_____。

　　2. _____，居然能让他们接受了我们的条件，太棒了。

　　3. _____时代的变迁，人们的生活方式有了很大改变，人们的观念
　　　也_____在转变。

　　4. 为了_____大家的工作压力，老板决定给我们三天假期，集体驾车出游。

　　5. _____是个老大难问题，要想彻底解决并不容易。

　　6. 我们需要考虑本国情况，并_____，找到最适合自己的方法。

　　7. _____所有动物的血都是红色的，蜘蛛的就不是。

　　8. 我们要先注册登记，_____，就可以合法经营了。

三、参考所给词语，根据课文内容说一说。

　　1. 根据课文一，说说中国人交通工具的变化。

　　　（代步工具　衡量　……，随着……，如今……）

　　2. 根据课文二，说说一些餐馆改变营销策略前后的变化。

　　　（甚至　于是　这样一来　随之）

3.课文二中，提出了什么解决交通拥堵的办法？

（缓解　并非……而……　以此来……）

4.根据课文二，说说日本的轨道交通。

（四通八达　延伸　交通枢纽　这样一来）

5.根据课文二，说说为什么日本人一般不开车上下班。

（轨道　因此　一是……，二是……，而且……）

6.根据课文三，说说中国的代驾服务。

（酒后驾车　应酬　……，现在好了，……　避免）

四、举一反三。

experience

1.在那个年代，自行车除了是人们的代步工具之外，也是衡量当时人们生活水平的一个标准。随着时代的变迁，如今衡量人们生活水平的标准已不再是自行车。

（1）两年前，每次上场比赛他都紧张，随着比赛经验的丰富， *现在没有人要参加。*

（2）＿＿＿＿＿＿＿＿＿，＿＿＿＿＿＿＿＿＿，现在已经是世界500强之一了。

（3）*一年前，我的金融危机很糟糕，随着我错误。现在我小心。*

2.同样的饭菜，在中午时段要便宜许多，这样一来，可以吸引一部分顾客改在中午进餐馆消费。

（1）我们的预算减少了一半，＿＿＿＿＿＿＿＿＿＿＿＿＿＿＿。

（2）＿＿＿＿＿＿＿＿＿，＿＿＿＿＿＿＿＿＿，情况就变得更加复杂了。

（3）＿＿＿＿＿＿＿＿＿＿＿＿＿＿＿＿＿＿＿。

3.吸引一部分顾客改在中午进餐馆消费，既缓解了晚间的压力，就餐环境、服务质量也随之有了改善。

（1）课程介绍引起了大家的兴趣，＿＿＿＿＿＿＿＿＿＿＿＿＿。

（2）＿＿＿＿＿＿＿＿＿＿＿＿＿＿，他的收入也随之提高了。

（3）＿＿＿＿＿＿＿＿＿＿＿＿＿＿＿＿＿＿＿。

4.大城市堵车的原因并非只是公路少、道路窄，而在于道路资源分配的问题。

    （1）这一问题影响到的并非只是你一个人，＿＿＿＿＿＿＿＿＿＿＿。

    （2）＿＿＿＿＿＿＿＿＿＿＿＿＿，而是要看你解决问题的能力。

    （3）＿＿＿＿＿＿＿＿＿＿＿＿＿＿＿＿＿。

5.那时候不敢公开作宣传，生意很差。现在好了，我在税务部门登记后，可以公开招聘、公开做广告了。

    （1）以前存钱、取钱都得去银行，＿＿＿＿＿＿＿＿＿＿＿＿＿。

    （2）＿＿＿＿＿＿＿＿＿＿＿＿＿，现在好了，24小时服务了。

    （3）＿＿＿＿＿＿＿＿＿＿＿＿＿＿＿＿＿。

6.要是我也能合法地从事这个职业该多好啊。

    （1）同学们一毕业都找到了工作，＿＿＿＿＿＿＿＿＿＿＿＿＿。

    （2）＿＿＿＿＿＿＿＿＿＿＿＿＿＿＿＿该多好啊。

    （3）＿＿＿＿＿＿＿＿＿＿＿＿＿＿＿＿＿。

五、交际策略——叙述事物的发展变化

    在介绍或叙述某一情况时，可以使用因果复句、承接复句对事情的发展变化和结果加以说明，如："……，因此……""……，由此……""……，这样一来，……""……，随之……""……于是……""（过去）……，随着……，（如今）……""（那时候）……，现在好了，……"等。

1.在那个年代，自行车除了是人们的代步工具之外，也是衡量当时人们生活水平的一个标准。随着时代的变迁，如今衡量人们生活水平的标准已不再是自行车。

2.餐馆的就餐环境、服务的速度和质量到了晚间就要下降。于是一些餐馆就采用了午餐打折的经营策略。

3.同样的饭菜，在中午时段要便宜许多，这样一来，可以吸引一部分顾客改在中午进餐馆消费，既缓解了晚间的压力，就餐环境、服务质量也随之有了改善。

4.不少车站的出站口直通大型商场、大型娱乐场和公司大楼，这样一来，也缓解了路面交通的压力。

5. 那时候不敢公开作宣传，生意很差。现在好了，我在税务部门登记后，可以公开招聘、公开做广告了。

试着使用上述方法说说下列事情的变化或结果。

1. 人们对学习汉语的热情

2. 买闹钟前后

3. 征收道路拥堵费、进城费前后

4. 加大交通违章罚款力度以后

5. 门前的道路改成了单行线

六、表达训练——称赞、羡慕

读一读，想一想：

◇ 你真有两下子。

◇ 主要线路一年所有的晚点加起来才 36 秒，不得不让人佩服。

◇ 让人羡慕得不得了。

◇ 要是我也能合法地从事这个职业该多好啊。

你认为上面这几句话表达了什么样的心情？要用什么语气说这几句话？

小贴士

"真有两下子""让人佩服"都是在称赞，还可以说"真了不起""果然名不虚传"等，而"真让人羡慕""看人家多……""要是我也……该多好啊"是表示羡慕，多用感叹、称赞和羡慕的语气。

试一试，说一说：

1. 同学获得了口语比赛的第一名。

2. 一个十几岁的女孩独自完成海上航行。

3. 别的大学提前一周放假。

4. 朋友跳槽到一家著名公司。

5. 有人中了大奖。

6. 朋友辞职去环球旅行。

七、完成任务。

1. 街头调查：人们常使用的交通工具。

最常使用的交通工具		为了避免交通拥堵
长途	短途	会使用哪些代步工具

2. 街头调查：人们认为交通拥堵的主要原因是什么？

造成交通拥堵的主要原因	
各种原因	排名前三的原因

八、小组讨论。

1. 你最头疼的交通问题是什么？

2. 为什么说交通问题是个老大难问题？

3. 你们国家有哪些交通问题？有哪些有效的解决办法？

4. 你对代驾服务是怎么看的？

5. 如果你有权改变你现在居住的城市的交通，你首先要做的是哪三件事？

内容链接一

骑自行车就像开奔驰

30 年前，街上的汽车很少，自行车还是家庭主要交通工具。当时自行车与缝纫机、手表并称为"三大件"，地位无异于现在的私家车。当时购买自行车都得凭票，每年一个单位最多能分到十几张购车票，能有幸分到票的人自然不多。当时大伙儿上下班的交通工具，除了公交车外，绝大多数都骑自行车或步行。一般人对汽车是没有概念的，买车？那时连做梦都不敢想。

上世纪 70 年代末期，永久、凤凰、飞鸽等品牌的自行车开始风靡中国。其中牌子最响的是永久和凤凰。那时，有一辆自行车的感觉不亚于现在有辆轿车的感觉，尤其是骑"永久"，就像开奔驰一样有面子，而一辆"凤凰"就像现在有一辆皇冠一样。

内容链接二

对酒后驾车的处罚

尽管惩罚机制十分严苛，但酒后驾车始终是一个世界难题。

在瑞典、澳大利亚、日本、丹麦、法国、瑞士等国，对酒后驾车一般都是终身吊销驾照，甚至判处监禁。

在美国，酒后驾车一经查实即逮捕，并列入个人档案记录。司机血液中酒精浓度超过 0.06% 时，无条件吊销其驾照，并将其送到医疗部门，专门看护那些住院的交通事故受害者；当司机血液中的酒精含量超过 0.1% 时，则以酒醉驾车论处。首次酒醉驾车，除了罚款 250 ~ 400 美元之外，还可判处坐牢 6 个月。

美国有些州还将酒醉驾车视为"蓄意谋杀"来定罪，对交通肇事致人死亡者，最高刑罚可判处死刑。

我的收获

◎ 重点词语

◎ 表达方式

◎ 精彩观点

◎ 文化差异

◎ 其他方面

 **人类最糟糕的发明**

表达方式

1 ……足以……

1. 如果把人们每年使用的塑料袋覆盖在地球表面，足以使地球穿上好几件"白色外衣"。

2. 这一系列实验足以证明，所有的烟草制品都有危害，会引发各种疾病甚至死亡。

3. 大约 40 分钟照射在地球上的太阳能，便足以供全球人类一年能量的消费。可以说，太阳能是真正取之不尽、用之不竭的能源。

2 ……，以至于……

1. 汽车的发明是如此重要，以至于在世界发达国家，汽车几乎跟鞋子一样必不可少。

2. 虽然事实并非如此，但是这一传说流传太广了，以至于许多人对此深信不疑。

3. 整个学习过程设计得如此巧妙，以至于我们很快忘记了我们是在学习。

3 ……的确 / 确实……，然而 / 但是 / 却……

1. 电池的确是人类的一个重要发明，然而，电池对环境造成的污染也是我们不得不重视的一个事实。

2. 这里的资源确实很丰富，但是不合理的开发和利用终究会带来严重的后果。

3. 计划生育政策确实有效地控制了人口的增长，却也不可避免地增大了老年人口的比重。

4 ……固然……，但是 / 可是……

1. 克隆技术在农业、生物学、医学等方面都有广泛的应用价值，这固然是科技的进步，但是"克隆人"却使人们不得不面对人类道德伦理的挑战。

2. 这种药的疗效固然很明显，但是它的副作用也不小。

3. 造成这种现象的原因固然是多方面的，可是我认为最重要的一点还是人为因素。

5 ……在于……

1. 移动通信迅速发展，很重要的原因在于它所带来的方便，在于它对人类生活质量的提升。

2. 小说之所以受到读者的喜爱，原因就在于它完整、复杂的故事情节。

3. 我们产品的优势在于它的独特设计和稳定的质量保证。

课文一　人类最糟糕的发明是什么

课　文　31

　　1902 年，奥地利科学家马克斯·舒施尼发明了塑料袋，这在当时无异于一场科技革命。可是，令舒施尼万万想不到的是，100 年后，在纪念塑料袋"百岁诞辰"时，它竟然被欧洲环保组织评为"20 世纪人类最糟糕的发明"。

　　如果告诉你，在全球范围内，一分钟内就要用掉 100 万只塑料袋，你也许会不敢相信自己的耳朵，但事实就是如此。一年至少有 5000 亿只塑料袋被人们拎回家，每人每年要用大约 150 只塑料袋。如果把人们每年使用的塑料袋覆盖在地球表面，足以使地球穿上好几件"白色外衣"。塑料袋价格低廉，回收价值低，一般使用一两次就丢弃了。这些未被回收的塑料袋很快进入环境，给环境造成了很大的危害。一些国家和城市已经禁用塑料袋。

　　塑料袋的罪过之一：视觉污染。废塑料袋散落在地面上，被风一吹，满天飞扬，或随风挂在树枝上，或漂浮在水面上，给人们的视觉带来不良刺激，破坏了城市、风景点的整体美感。在中国，人们称它为"白色污染"。

　　塑料袋的罪过之二：浪费资源。塑料袋不仅污染了环境，还造成极大的土地资源浪费。废塑料袋随垃圾填埋，不仅会占用大量土地，而且被占用的土地长期得不到恢复，影响土地的可持续利用。

　　塑料袋的罪过之三：对动物生存构成威胁。丢弃在陆地上或水体中的废塑料袋，被动物当做食物吞入，导致动物死亡。在动物园、牧区、农村、海洋中，这类情况已屡见不鲜。尤其是抛入海洋中的塑料袋，堪称"海洋生物杀手"。

（选自《珠江时报》）

生　词　32

1.	诞辰	dànchén	（名）	生日（多用于说话者所尊敬的人）。 birth day
2.	拎	līn	（动）	用手提。 carru; lift
3.	覆盖	fùgài	（动）	遮盖，从上面遮住。 cover (plants, etc).
4.	足以	zúyǐ	（动）	完全可以，够得上。 enough; sufficiently (adverb)
5.	低廉	dīlián	（形）	（价钱）便宜。 cheap; low
6.	罪过	zuìguo	（名）	过失。 fault; offense; error
7.	视觉	shìjué	（名）	物体的影像刺激眼睛所产生的感觉。 vision; sight
8.	漂浮	piāofú	（动）	停留在液体表面不下沉。 float
9.	堪称	kānchēng	（动）	可以称作，称得上。 be rated as; can be said to be
10.	杀手	shāshǒu	（名）	比喻危害生命的某些疾病、物质等。 killer

边学边练

足以　可持续 kěchíxù (sustainable)　诞辰　堪称　视觉

1. 这位伟人的故乡将举行盛大活动纪念他 __诞辰__ 100 周年。

2. 海水所产生的能源 __足以__ 供我们使用上千年。

3. 这里植物种类之多、数量之大都 __堪称__ 世界之最。 zhíwù (plant; flora)

4. 只有保证经济和社会、发展和环境的协调，才能实现城市的 __可持续__ 发展。

5. 猫头鹰在夜间的 __视觉__ 非常敏锐，可是白天却什么也看不见。 yèjiān (at night) owl　mǐnruì (sharp; acute; keen)

课文二　人类最糟糕发明排行榜

课　文 ③③

　　汽车： 汽车的发明是如此重要，以至于在世界发达国家，汽车几乎跟鞋子一样必不可少。然而也正是这把锋利的双刃剑，不仅制造了频繁的交通堵塞、交通事故，而且还是消耗能源的无底洞和大气污染的移动污染源。它的发明者恐怕做梦也想不到，汽车现在居然被称为"城市生活中的流动杀手"。

　　电池： 电池的确是人类的一个重要发明，它能根据人的需要，随时随地为人类带来光明和动力。然而，电池对环境造成的污染却使我们不得不重视这样一个事实：人类可能在200年时间里享受电池的益处，却要用更长的时间去遭受其害。

　　手机： 手机的发明无疑给这个瞬息万变的信息社会带来了更多便捷，然而就在手机备受人们青睐时，关于手机辐射是否会对人体健康造成伤害这一话题，前后矛盾的各种说法却让人不知应该相信谁，全球科技界对此似乎也尚无定论。

　　克隆技术： 克隆技术在农业、生物学、医学等方面都有广泛的应用价值，这固然是科技的进步，但是"克隆人"却使人类不得不面对人类道德伦理的挑战。克隆人与被克隆人的关系到底该是什么呢？克隆人的身份和社会权利又该如何确定呢？而更为严峻的问题是，我们是克隆100个希特勒还是克隆1000个爱因斯坦？

（选自《人类最糟糕的发明》）

生　词 ③④

1.　以至于　　　　yǐzhìyú　　　　（连）　　以至，用在后句表示结果。

2.	锋利	fēnglì	（形）	（工具或武器等）尖或刀刃薄，容易刺入或切开物体。*sharp; keen*
3.	双刃剑	shuāngrènjiàn	（名）	两面都有刃的剑。用来形容事情具有双重影响，既有利也有弊。*double-edged sword*
4.	无底洞	wúdǐdòng	（名）	永远填不满的洞，比喻不断增加、满足不了的要求。*a bottomless pit*
5.	益处	yìchu	（名）	对人或事物有利的因素、好处。*benefit; profit; good*
6.	瞬息万变	shùnxī wàn biàn	（成）	在极短的时间内变化很多很快。*undergoing a myriad changes in the twinkling of an eye; fast changing*
7.	便捷	biànjié	（形）	快而方便。*convenient; quick; express*
8.	备	bèi	（副）	表示完全。*be prepared; be equipped with*
9.	青睐	qīnglài	（动）	比喻喜爱或重视。*favor; good graces*
10.	辐射	fúshè	（动）	光线、无线电波等电磁波的传播。*radiate*
11.	定论	dìnglùn	（名）	确定的论断。*final conclusion*
12.	克隆	kèlóng (clone)	（动）	生物体通过体细胞进行无性繁殖，复制出遗传性状完全相同的生命物质或生命体。
13.	伦理	lúnlǐ (ethics; moral principles)	（名）	指人与人相处的各种道德准则。
14.	严峻	yánjùn	（形）	（形势、事情等）严重，或（人的态度等）严厉、苛刻。*stern; severe; rigorous; grim*

边学边练

青睐　　辐射　　无底洞　　以至于　　双刃剑　　备受

1. 这种产品受到世界各地顾客的 <u>青睐</u> 。

2. 新产品一上市就 <u>备受</u> 欢迎。

3. 他给大家带来了太多的麻烦，<u>以至于</u> 一说到他的名字，大家就头疼。

4. 防晒霜可以防止紫外线的 <u>辐射</u> 。

5. 价格从来都是一把 <u>双刃剑</u> ，可以通过提高价格增加利润，但也会因价格高而丢失客户。

6. 这个项目建设之前被很多人看好，建成后却成了赔钱的 <u>无底洞</u> 。

课文三　最伟大的发明——移动通信

课　文 35

　　有一种观点认为，移动通信和互联网是 20 世纪后期人类最伟大的发明。对人类有益的发明，必定会给人类带来两大好处：方便和财富。按照这个逻辑，移动通信当之无愧。

　　1978 年科学家们试验成功了世界上第一个移动通信系统，并于 1983 年正式投入商用。这是移动通信发展史上的重大发明，但移动电话日后风靡全球，达到如此普及的程度，恐怕也是发明者始料不及的。

　　移动通信这种看起来不可思议的增长速度，很重要的原因在于它所带来的前所未有、不可替代的方便，在于它对人类生活质量的提升。移动通信的特点是个人化和不受空间、时间限制的移动性，这两个特点恰恰符合了当今人类社会快节奏的生活方式。

　　今天，手机所带给我们的方便其实不用多说，体会一下偶尔忘记充电，手机无法使用时的尴尬，想必就可以看出，在我们的生活里，手机扮演着多么重要的角色了。

（选自人民网）

生　词 36

1.	当之无愧	dāng zhī wú kuì	（成）	完全够条件承当某种荣誉，不用惭愧。
2.	风靡	fēngmǐ	（动）	形容事物在某一范围内很流行。
3.	始料不及	shǐ liào bù jí		指事物、形势的发展变化是一开始没预料到的。
4.	不可思议	bù kě sīyì	（成）	不能想象，不能理解。
5.	前所未有	qián suǒ wèi yǒu	（成）	历史上从来没有过。
6.	尴尬	gāngà	（形）	处境困难，不好处理。

边学边练

在于　　不可思议　　当之无愧　　前所未有

1. 经过大家努力，我们球队在今年的比赛中获得了 <u>前所未有</u> 的好成绩。

2. 交流沟通的关键 <u>在于</u> 找到共同的话题。

3. 这项发明给人们带来了便利和快乐，<u>当之无愧</u> 地被评为"最受欢迎的发明"。

4. 曾经有位语言学家学习了一百多种语言，这简直太 <u>不可思议</u> 了。

课堂活动与任务

一、模仿例子说出更多的词语。

1. 视觉：<u>听觉</u>　　　　　　　　　　　　　　

2. 可持续：<u>可收</u>　　　<u>可循环</u>　　　<u>再生</u>

3. 双刃剑：<u>学位</u>　　　<u>休日</u>　　　<u>胞胎</u>

4. 备受青睐：　　　　　　　　　　　　　　　　

二、选择词语，灵活运用。

做梦	足以	无异于	固然
竟然	在于	堪称	以至于

1. 连续的暴雨天气对灾区来说 <u>无异于</u> 。

2. 我 <u>竟然/做梦</u> 会在异国他乡遇到多年不见的小学同学。

3. 中国明代李时珍的《本草纲目》 <u>堪称</u> 古代的药物大全。

4. 那里的物产资源 <u>固然很多</u> ，却也禁不起无节制的开发。

5. 我们进口了大量的新产品，<u>足以 manzu</u> 近期的市场需求。

6. 全球变暖使海平面升高，近一百年来 <u>竟然</u> 上升了近15厘米。

7. 这对双胞胎姐妹太像了，<u>以至于</u> 她们的父母都常常认错。

8. 任何技术都有利弊，关键 <u>在于时候</u> 使用得当。

三、参考所给词语，根据课文内容说一说。

1. 1902 年和 2002 年，人们对塑料袋的看法有什么不同？（无异于　万万　竟然）

2. 世界上塑料袋的使用量有多大？（自己的耳朵　足以）

3. 塑料袋带来了哪些问题？（视觉　不仅……还/而且……　可持续　堪称）

4. 为什么说汽车是人类最糟糕的发明之一？（以至于　然而　双刃剑　做梦）

5. 为什么电池、手机、克隆技术都被认为是最糟糕的发明之一？

（……的确/固然……，然而/但是……　无疑　青睐）

6. 人们如何评价移动通信？（当之无愧　始料不及　不可思议　在于）

四、举一反三。

1. 如果把人们每年使用的塑料袋覆盖在地球表面，足以使地球穿上好几件"白色外衣"。

（1）他们已经收集了大量证据，足以 被他拘留 。

（2）公司所有高层都参加了这次活动，足以人可以做一个运动队。

（3） 我收集了大量条，足以做 很大的 沟火 。

2. 汽车的发明是如此重要，以至于在世界发达国家，汽车几乎跟鞋子一样必不可少。

（1）这个路口的设计有问题，连续出了几次事故，以至于三个人死了。

（2）家乡的发展，简直快得不可思议，以至于工人做成 。

（3）＿＿＿＿＿＿＿＿＿＿＿＿＿＿＿＿＿＿。

3. 电池的确是人类的一个重要发明，然而，电池对环境造成的污染也是我们不得不重视的一个事实。

（1）从理论上讲的确如此，＿＿＿＿＿＿＿＿＿＿＿＿＿＿＿。

（2）___能力_____，然而，机会的把握也绝对不能忽视。

（3）_____。

4. 克隆技术在生物学、医学等方面都有广泛的应用价值，这固然是科技的进步，但是"克隆人"却使人们不得不面对人类道德伦理的挑战。

（1）比赛没能获胜固然让人失望，___但是他们都还玩很好。___

（2）_____，但是在发展的过程中也出现了不少问题。

（3）_____。

5. 移动通信迅速发展，很重要的原因在于它所带来的方便。

（1）设立这项奖学金的目的在于___大学的经济情况。___

（2）很多人不喜欢这项发明的原因___在于很多的资源。___

（3）___明天我有一个考式，我的changji 在于我好不好 准备___

6. 它的发明者恐怕做梦也想不到，汽车现在居然被称为"城市生活中的流动杀手"。

（1）_____，我们的设计获得了国际大奖。

（2）___美国 quxia hei人总tong___，真是做梦也没有想到。

（3）_____。

五、交际策略——用让步转折复句提出不同观点

使用含让步意思的转折复句，先对某一事实或观点给予确认、肯定，然后表达出与这一事实或观点不同、相对、相反或部分相反的意思，后句才是语义重点，即你个人的看法。可以在讨论问题时，特别是不完全同意对方的观点时使用。前半句多用"确实""的确""固然""无疑"等，后半句多用转折词语"可是""但是""然而""却"等，对话时还可以用"话是这么说，可是……""说是这么说，可是……"等。

1. 电池的确是人类的一个重要发明，它能根据人的需要，随时随地为人类带来光明和动力。然而，电池对环境造成的污染也是我们不得不重视的一个事实。

2. 克隆技术在农业、生物学、医学等方面都有广泛的应用价值，这固然是科技的进步，但是"克隆人"却使人们不得不面对人类道德伦理的挑战。

3. 这里的资源确实很丰富，但是不合理的开发和利用终究会带来严重的后果。

4. 甲：现代通信使我们的交流和联系变得越来越容易。

　　乙：话是这么说（说是这么说），可是你不觉得它也让我们变得越来越孤独吗？

试着使用上述方法表达与下列观点不同的看法。

Antibiotic

1. 电子邮件让我们省去了写信、寄信的麻烦。

2. 抗生素可以减轻病痛，延长寿命。

3. 空调可以让我们冬暖夏凉。

4. 卡拉 OK 可以让每个人一展歌喉，自娱自乐。

六、表达训练——吃惊、意外

读一读，想一想：

◇ 万万想不到的是，100 年后，塑料袋竟然被欧洲环保组织评为"20 世纪人类最糟糕的发明"。

◇ 我简直不敢相信自己的耳朵！

◇ 它的发明者恐怕做梦也想不到，汽车现在居然被称为"城市生活中的流动杀手"。

◇ 移动电话日后风靡全球，达到如此普及的程度，恐怕也是发明者始料不及的。

你认为上面这几句话表达了什么样的心情？要用什么语气说这几句话？

> ### 小贴士
>
> "竟然""万万想不到""不敢相信自己的耳朵 / 眼睛""做梦也想不到 / 没想到""始料不及"都用来表示事情出乎意料，除此之外还有"天啊""好家伙""真叫人难以相信""从来没听说过这样的事"等，都可以表达意外、吃惊的感觉和语气。

试一试，说一说：

1. 一粒小小的钮扣电池可污染 600 立方米的水。

2. 上网搜索发现和你同名的人有三万个。

3. 一觉醒来发现自己到了另外一个城市。

4. 陪朋友去面试，自己却被考官看中了。

5. 你从来没听他唱过歌的一位朋友获得了卡拉 OK 演唱比赛第一名。

6. 如果以很高的音量每周听 MP3 超过五个小时，五年后可能会永久失聪。

七、完成任务。

在同学中征集答案，请他们说出自己认为的"最糟糕的发明""最伟大的发明""最烦人的发明""最期待的发明"及理由。

	发明	理由
最糟糕的发明		
最伟大的发明		
最烦人的发明		
最期待的发明		

八、小组讨论。

1. 选择征集到的"最糟糕 / 伟大 / 烦人 / 期待的发明"之一，进行讨论，大家各自发表自己的看法。

2. 也可设想新的题目——"最……的发明"，并谈谈各自的想法。

内容链接一

最烦人的发明

卡拉 OK 由日本一名俱乐部键盘手井上大佑发明，当年他在为一位想在公司旅游时一展歌喉的顾客提供音乐伴奏时突发奇想，发明了卡拉 OK 机。自卡拉 OK 机 1971 年问世以来，已发展成为产值达数十亿美元的行业。

可是他却万万没有想到，这项发明登上了英国"最烦人发明榜"之首，成为英国人最讨厌的发明。有人说，"有了它，永恒的经典歌曲都被跑调、扯着嗓子大喊的醉鬼们给毁了。"还有人说，"人们唱卡拉 OK 时，自己会很陶醉，但观众们却不得不在一旁忍受着不悦耳的歌声。"更有人受不了，"这违背了社交规律。如果有 10 个人想唱卡拉 OK，那就意味着有 150 个人要忍受煎熬。"

在这次调查中，近四分之一的受访者（22%）选择卡拉 OK 机为"最烦人的发明"，17% 的人选择 24 小时体育频道，12% 的人选择游戏机，分别有 11% 和 7% 的人选择手机和闹钟。

内容链接二

最让人期待的发明

由香港特区知识产权署、香港发明家协会及青少年暑期活动委员会合办的"21 世纪你最期待的发明"创新意念有奖比赛，共有 50 项作品入围。市民可参与决赛的投票，从中选出各个组别的优胜者及总冠军。50 项进入决赛的作品大都与市民大众的日常生活息息相关，例如：会变色的食品、进食日期提示标签、具有救生功能的游泳镜、多功能垃圾桶、显示温度的水杯、学生用的电子书包、联系交通工具的时间追踪器等，都是参赛者结合日常生活遇到的问题而设想出来帮助解决这些问题的工具。

英国开展了一项调查，在被问及未来最希望看到的发明时，18% 的受访者选择了清洁机器人，16% 的人选择时光机，12% 的人选择远程传送机。

我的收获

◎ 重点词语

◎ 表达方式

◎ 精彩观点

◎ 文化差异

◎ 其他方面

7 你是其中哪一种

表达方式

1 随……v. 而 v.

前后两个动词可以相同，也可以不同。

1. 语言学家告诉我们，语言随社会的产生而产生，随社会的发展而发展。

2. 夏季到来，城市的用电量随气温的升高而增大。

3. 这种现象是随着环境的变化而产生的。

2 ……可不是……，而是……

1. 这里的"拼"可不是拼命、拼争，而是拼凑、拼合的意思。

2. 他们这样做可不是故意给大家添麻烦，而是为各位的安全考虑。

3. 您看到的可不是普普通通的一幅画，而是传了几代的名家作品。

3 用……的话讲 / 说

1. 用拼客们自己的话讲，这是一种节约、时尚、快乐、共赢的新型生活方式。

2. 用他们的话讲，这叫好处大家都有份；用时髦的话讲，这叫共赢。

3. 今天的比赛队员们发挥很好，打得很精彩，用网民的话讲，他们的表现很给力。

4 v. 来 v. 去

1. 公交太慢，地铁太挤，打车太贵，说来说去，还是拼车方便快捷、经济实惠。

2. 他偏爱这个品牌，选来选去，还是选了它。

3. 这个决定对他来说太重要了，他想来想去还是拿不定主意。

I think Randy's upset

5　比 n. 还 n.

yeah

1. 现代"达人"，指的是在某一领域、某一方面非常专业、非常精通的人，也就是专家、行家，比高手还高手。

2. 他在中国生活了很多年，而且专门研究中国文化，大家都说他比中国人还中国人。

3. 听他说话的口气，简直比专家还专家。

6　不在话下

1. 游戏达人熟悉几乎所有的游戏，游戏中的所有难关对他来说都不在话下。

2. 他是这个项目最有竞争力的选手，进入决赛圈不在话下。

3. 今年的销售量大幅度提高，别说是超计划 10%，就是超 20% 也不在话下。

课文一　新词新语

课　文　37

　　据统计，现代汉语中每年大概要出现 1000 个左右新词新语。有的是随着新事物、新现象、新观念的出现而产生的，如"手机""宽带①"；有的是来自外语或汉语方言的，如"脱口秀②""买单"；有的是旧词语有了新的用法和含义，如"下课""菜单③"；还有的是词语衍生或缩略形成的，如由"白领""蓝领"衍生的"金领""粉领"、"个人演唱会"的缩略形式"个唱"。

　　语言学家告诉我们，语言随社会的产生而产生，随社会的发展而发展。语言是社会生活的一面镜子，也是社会变化和发展的晴雨表。当今世界，科学技

---

① 宽带（kuāndài）：数据传输速率超过 1 兆比特 / 秒的网上接入方式。（broadband）
② 脱口秀（tuōkǒuxiù）：指听众或观众与主持人一起互动讨论某一话题的广播或电视节目。（talk show）
③ 菜单（càidān）：指列有各种菜肴的清单。现也指电脑程序进行中出现在显示屏上的选项列表。

术的进步、社会生活和生活观念的变化产生了很多新事物、新现象，随之我们的语言中也出现了不少新词新语。它们有的随着事物的消失而消亡，有的逐渐在语言中稳定并保留了下来。旧词语的淘汰、新词新语的产生不仅反映了语言自身的规律，也折射出政治、科技、文化和生活的变化。

　　下面我们要讨论的这些词语，都是指某一些特定的群体，看看你属于其中的哪一种呢？

生　词　38

1.	含义	hányì	（名）	包含的意义。meaning; implication
2.	衍生	yǎnshēng	（动）	演变发生。derive
3.	缩略	suōlüè	（动）	（词或短语）缩短省略。to contract; to abbreviate
4.	晴雨表	qíngyǔbiǎo	（名）	预测天气晴或雨的气压表，比喻能及时敏锐地反映事物变化的指示物。weatherglass; barometer
5.	消亡	xiāowáng	（动）	灭亡，消失。wither away; die out
6.	淘汰	táotài	（动）	在选择中去除（不好的或不适合的）。eliminate through selection or competition (die out)
7.	折射	zhéshè	（动）	比喻把事物的表象或实质表现出来。常和"出"连用为"折射出"。refraction

边学边练

缩略　折射　淘汰　含义　晴雨表

1. 市长热线接到不少百姓反映问题的电话，这也 <u>折射</u> 出百姓关注的热点。

2. "彩电"是"彩色电视机"的 <u>缩略</u> 形式，这样更方便使用。

3. 他们队落后 3 分被 <u>淘汰</u> ，没能进入半决赛。

4. 在市场经济条件下，股票市场就是社会经济的 <u>晴雨表</u> 。

5. 不同的颜色在不同文化中会有不一样的 <u>含义</u> 。

课文二　拼客

课文 `39`

　　所谓拼客，指的是近年来出现的这样一个群体，他们一般都素不相识，却集中在一起共同完成一件事或一项活动，并分摊所需费用。这里的"拼"可不是拼命、拼争，而是拼凑、拼合的意思。他们中有的拼车、拼餐、拼房，还有的拼卡、拼游、拼购，总之，对拼客们来讲，生活中可拼的太多了。他们既可以分摊成本、共享优惠，又能享受快乐、结交朋友。用拼客们自己的话讲，这是一种节约、时尚、快乐、共赢的新型生活方式，这是一种潮流、一种理念，也是一种生活态度。

　　拼房：就是找人合租住房。有不少大学毕业刚刚参加工作的年轻人，收入不高，找个人和自己拼房，既能分摊房租，节省开支，又能告别一个人的孤独，享受家一样的生活。说来说去，就是花得更少，住得更好。

enjoy *xiǎngshòu*

　　拼车：就是几个人一起搭车上路。可以是出租车，也可以是私家车；车费、油费均摊或根据路程远近按比例分摊；可以拼车上下班，也可以拼车去郊游。拼客们说，公交太慢，地铁太挤，打车太贵，说来说去，还是拼车方便快捷、经济实惠，还能节约能源。

　　拼卡：现代都市的年轻人，谁的口袋里没有几张卡呀？购物卡、美容卡、游泳卡、健身卡，可这些卡一般都有使用期限，一个人很难在规定的期限内用完一张卡。于是拼客们就两个人或更多人合办一张卡、共用一张卡，发挥卡的最大价值，降低每个人的成本。

生词 `40`

1. 群体	qúntǐ	（名）	同类人或事物组成的整体。*the same group*
2. 素不相识	sù bù xiāngshí	（成）	从来不认识。*have never met, not be acquainted with*
3. 分摊	fēntān	（动）	分别承担（费用）。*share, apportion*

4.	拼争	pīnzhēng	（动）	尽全力争取、抗争。 to fight desperately
5.	拼凑	pīncòu	（动）	把零散的合在一起。 to misspell
6.	拼合	pīnhé	（动）	合在一起，组合。 to fit together, to put together
7.	共赢	gòngyíng	（动）	大家都得到利益。 mutually profitable; win-win
8.	潮流	cháoliú	（名）	比喻社会变动或发展的趋势。 tide; current; trend
9.	理念	lǐniàn	（名）	思想、观念。 idea; principle
10.	孤独	gūdú	（形）	独自一个，孤单。 lonely; solitary
11.	搭车	dāchē	（动）	趁便乘坐顺路的车辆。 ride a car; bus; train; etc
12.	均摊	jūntān	（动）	平均分摊。 share equally
13.	实惠	shíhuì	（形）	有实际的好处。 material benefit

边学边练

分摊　　实惠　　潮流　　理念　　素不相识　　说来说去

1. 这家餐馆的饭菜既经济又＿＿实惠＿＿，受到附近居民的欢迎。

2. 他们的教育＿理念＿不同，自然办学的方式也不同。

3. 他们＿素不相识＿，可一见面就成了好朋友。

4. 几个人总是一起去旅游，回来＿说来说去＿所有费用，他们觉得这样又方便又省钱。

5. 巴黎的服装闻名世界，也领导着世界服装的＿潮流＿。

6. 张三说费用太高，李四说条件不好，＿＿＿＿＿＿，他们就是想劝我放弃。

4/20/15

课文三　达人

课文　41

"达人"可不是一个新词，早在中国古代就有了，表示的是明白事理的人、豁达的人、显贵的人。而现代"达人"，指的是在某一领域、某一方面非常专业、非常精通的人，也就是专家、行家，比高手还高手。

不过关于它的来源也有不同的说法，有人说"达人"一词来自日语，还有人说它源自英语的 talent。不管怎么样，"达人"一词现在使用非常广泛，尤其受到网友的推崇和喜爱，只要是在某一方面有丰富的经验，在某一方面是高手，都可以被称为"……达人"。下面这些达人，你应该能猜个八九不离十④吧。

音乐达人：一定是在音乐方面有特殊才华的人。

减肥达人：不用说，一定熟悉并尝试过各类减肥方法。

游戏达人：理所当然熟悉几乎所有的游戏，游戏中的所有难关对他来说都不在话下。

美食达人：必定是爱吃、会吃，周围的餐厅、饭店没有他不知道的。

时尚达人：他们对一切时尚元素一定不会陌生，想知道时下最流行什么、什么最时髦，问他准没错。

恋爱达人：爱情专家的称号非他莫属⑤，有丰富的恋爱经验。爱情遇到难题，找他咨询一定会有收获。

除此之外，你会在网上常常看到一些求助信息也都是"请问各位达人，如何……""求助达人，……"。如果你还不能理解"达人"的意思，那就也在网上发个帖子，可以这样问："哪位达人指教一下，什么是达人？"

生　词 ㊷

1. 豁达	huòdá	（形）	性格开朗、气量大。
2. 显贵	xiǎnguì	（形）	名气大，地位尊贵。
3. 精通	jīngtōng	（动）	对学问、技术等有透彻的了解并熟练掌握。
4. 行家	hángjia	（名）	内行人，对某种事情或工作有丰富知识和经验的人。
5. 高手	gāoshǒu	（名）	技能特别高超的人。
6. 理所当然	lǐ suǒ dāng rán	（成）	从道理上说应当这样。

④ 八九不离十（bā jiǔ bù lí shí）：常用于口语，表示几乎接近（实际情况）。

⑤ 非他莫属（fēi tā mò shǔ）：一定是他的，而不会属于别人。"非A莫属"句式用于强调A对某一事物的独占性，A常常是人称代词"你、我、他、她、它"等，也可以是人名或事物名。

7.	不在话下	bú zài huà xià	（成）	指事物轻微，不值得说，或事情本来就应当这样，用不着说。 _sth is very easy be a cinch be nothing difficult_
8.	元素	yuánsù	（名）	要素，成分。_element_
9.	称号	chēnghào	（名）	给某人或某物的名称（多为光荣的）。_title name_
10.	咨询	zīxún	（动）	询问，征求意见。_information_
11.	指教	zhǐjiào	（动）	指点教育。_give advice or comments_

边学边练

精通 _nonprofessional_ 行家 _judge_ 咨询 _withrelic_ 准没错 非他莫属 不在话下

strength

1. 我们都是外行，很难判断这件文物的真假，得找个 __行家__ 来帮我们看看。

2. 他 __精通__ 好几门外语，堪称语言天才。

3. 他的脑子比计算机还快，一分钟完成这十几道题对他来说 __不在话下__

4. 他是最有实力的选手，今年的冠军 __非他莫属__ _guanjun champion_

5. 要想知道在哪儿能吃到地道的中国菜，问他 __准没错__

6. 你可以拨打他们的电话 __咨询__ 相关的信息。 _bōdǎ_ _dial call_

课堂活动与任务

一、模仿例子说出更多的词语。

1. 白领：_____ _____ _____

2. 拼客：_____ _____ _____

3. 说来说去：_____ _____ _____

4. 高手：_____ _____ _____

5. 音乐达人：_____ _____ _____

二、选择词语，灵活运用。

淘汰	……来……去	达人	理所当然
高手	八九不离十	潮流	非……莫属

1. 他的网上购物经验丰富，熟知各种购物网站，被我们 <u>成为购物达人</u>

2. 几个人一起拼车，费用均摊 <u>理所当然</u> 。

3. 我们对结果的预测不敢说百分百准确，却也 <u>八九不离十</u> 。

4. 我们的语言中，不断 <u>有几词语淘汰</u> 也不断有新的词语在产生。

5. 这家商场每个季度都会请著名设计师向顾客介绍最新的时尚 <u>潮流</u> 和产品信息。

6. 我们在网上 <u>找来找去</u> ，总算找到了比较合理的解释。

7. 游戏的这一关怎么也过不去，看来得 <u>请教高手</u> 。

8. 我们都对你非常有信心，这次比赛 <u>非你莫属</u> 。

三、参考所给词语，根据课文内容说一说。

1. 根据课文一，说说新词新语是怎样产生的。

（有的……，有的……，还有的……　　随……而……　　晴雨表）

2. 根据课文二，说一说什么是"拼客"。

（所谓……指的是……　　可不是……而是……　　用……的话讲）

3. 根据课文二，拼房、拼车、拼卡各有什么好处？

（说来说去　　分摊　　实惠）

4. 根据课文三，举例说明什么是"达人"。

（比……还……　　精通　　不在话下　　准没错　　非他莫属）

四、举一反三。

1. 语言学家告诉我们，语言随社会的产生而产生，随社会的发展而发展。

（1）有一些新词语会 <u>随</u> ，也有一些旧词语会 <u>随</u> 。

88

（2）我们办理这些会员卡的价格 随_____。

（3）_____。

2. 这里的"拼"可不是拼命、拼争，而是拼凑、拼合的意思。

（1）大家现在常听到的"围脖"可不是一个车的东西而是衣服。

（2）"晒晒我的收藏宝物"可不是我有_____。

（3）_____。

3. 用拼客们自己的话讲，这是一种节约、时尚、快乐、共赢的新型生活方式。

（1）孔子说："三人行，必有我师焉。"用孔子的话讲，你总是可以学了。

（2）这些都是简单的网络游戏，用客户的话讲，连一个老人可以用了。

（3）用阿宏的话讲，我们去那儿，我无所谓。

4. 减肥达人，不用说，一定熟悉并尝试过各类减肥方法。

（1）时间到了他还没来，_不用说____，他一定不来了_____。

（2）_____，_____，肯定也是一位高手。

（3）聪明人，不用说，总是可以找到很好的工作。

5. 他在这方面非常专业、非常精通，比高手还高手。

（1）他的篮球打得太棒了，_____。

（2）她虽然说自己不是什么追星族，可是她为所有喜欢的歌星制作的专门的网站，比疯狂人还疯狂人。____。

（3）他每个考试成绩很好，非常努力的人，比学生还学生。

五、交际策略——篇章主题的推进（总分式、分总式）

在语段表达中，围绕一个主题进行说明、陈述，可选择总分式推进主题，先总体概括，再分别具体说明；也可选择分总式推进主题，先逐一列举、陈述，然后再总结概括。这两种方式在"分"时，都常常使用并列复句或排比的手法。

总分式：

1. 据统计，现代汉语中每年大概要出现 1000 个左右新词新语，有的是随着新事物、新现象、新观念的出现而产生的，如……；有的是来自外语或汉语方言的，如……；有的是旧词语有了新的用法和含义，如……；还有的是词语衍生或缩略形成的，如……。

2. 不过关于它的来源也有不同的说法，有人说"达人"一词来自日语，还有人说它源自英语的 talent。

分总式：

3. 他们中有的拼车、拼餐、拼房，还有的拼卡、拼游、拼购，总之，对拼客们来讲，生活中可拼的太多了。

4. 公交太慢，地铁太挤，打车太贵，说来说去，还是拼车方便快捷、经济实惠。

试着使用上述方法围绕下列主题说一说。

1. 拼客们拼的都是什么

2. 某一款手机的功能

3. 你喜欢的音乐

4. 你常使用的交通工具

5. 你目前生活中遇到的问题

六、表达训练——强调特点、能力

读一读，想一想：

◇ 在这方面非常精通，比高手还高手。

◇ 游戏中的所有难关对他来说都不在话下。

◇ 爱吃、会吃，周围的餐厅、饭店没有他不知道的。

◇ 想知道时下最流行什么、什么最时髦，问他准没错。

◇ 爱情专家的称号非他莫属。

你认为上面这几句话强调了什么内容？要用什么语气说这几句话？

小贴士

　　这些句子都是在强调某人的特点或能力。可以用来夸奖某人，略带有夸张的语气；有时也可以含有讽刺的意味。"比 A 还 A"，A 应该是公认的在某方面很有特点的人或物；"××不在话下"，××应该是一些困难或难题；"××，没有他不知道的""××问他 / 找他准没错"，××为某一方面的事情或内容。

试一试，说一说：

1. 某人对打折信息非常了解。

2. 某人开车技术一流。

3. 你的一位朋友能帮你解决各种问题。

4. 一位司机熟悉这个城市所有街道。

5. 你的一位朋友对足球很着迷。

6. 某人总是遇到各种麻烦事。
every (kind of)

七、完成任务。

搜集整理一些新词新语，与大家交流，并用这些词语共同完成最佳例句。

新词新语	最佳例句

八、小组讨论。

1. 搜集一些新词新语，并解释它们的含义。

2. 选择一两个新词新语，谈一谈它们反映了什么文化现象。

3. 结合具体例子，谈谈新词语产生的原因。

4. 结合具体例子，说一说新词新语与流行文化的关系。

内容链接一

宅男宅女

"宅男"一词源自日语"御宅族"，后来指那些热衷动漫、电玩的人，男性为宅男，女性为宅女。后来使用范围越来越广，人们把整天不出门并沉迷于玩电脑游戏、网络聊天、看动漫、看电视连续剧的人，都叫做宅男、宅女。人们对他们的普遍印象是：足不出户，与社会交往不多，不善于与人相处，衣着简单、不修边幅，一般都痴迷于某种事物，依赖电脑和网络。

如果说，最初"宅男宅女"这样的称呼还稍微有些贬义、有些消极的话，那么现在它们已经被越来越多的人接受了。"宅"已经成为一种新的生活方式，可以是下班的白领，可以是休假的公务员，也可以是网上开店的老板，他们随意待在自己的房间里，醉心于手头的事情，可能是看书、工作，也可能是游戏、收藏，还可能是正在创作的网络小说、正在制作的模型。

如果分析"宅"的原因，我觉得大概离不开现在的时代和社会带给人们的巨大压力。

内容链接二

团　购

听说过"团购"吗？实际上就是团体购买、集体购买的简称和缩略形式，一些具有相同购买意向的消费者集合起来，向厂商进行大批量购买。这样，消费者在购买和服务过程中更能占据主动地位，真正买到质量好、服务好、价格合理、称心如意的产品，达到省时、省心、省力、省钱的目的。

现在最普遍的是网络团购。团购的产品涉及各个领域，大到房屋、汽车，包括装修建材，小到家电、家居用品、生活用品，只要是你需要的，大都可以在网上找到相应的团购群体。它已经成为众多消费者追求的一种现代、时尚的购物方式。不了解市场价格的朋友，或者不喜欢逛街的朋友，还有不大会砍价、不喜欢砍价的朋友，都可以尝试一下网络团购的方式。

我的收获

◎ 重点词语

◎ 表达方式

◎ 精彩观点

◎ 文化差异

◎ 其他方面

爱美之心，人皆有之

表达方式

1 ……，至于……，……

1. 在众多的被访者当中，有高达 55% 的人正在进行健美瘦身，至于采用哪种方式健美瘦身，有 43.4% 的被访者常在健身房运动，有 37.1% 的人选择限制饮食。

2. 我们对服用这种药物的人数进行了统计，至于他们服用的效果，还需要我们继续跟踪调查。

3. 调查显示，该厂家新型汽车的销售量下降了 40%，至于竞争对手的销售情况也不乐观。这从某种程度上说明了金融危机对整个汽车市场的影响。

2 ……，由此可见，……

1. 有 43.4% 的被访者常在健身房运动，有 37.1% 的人选择限制饮食，……，另有 4.3% 选择了其他形式。由此可见，运动仍是大家选择最多的健美瘦身方式。

2. 根据调查，面试官通常在见你第一面的 30 秒内就会决定是否要你，由此可见，给人的第一印象非常重要。

3. 银行数据显示，居民储蓄存款这几年持续大幅度下降，由此可见，中国人的理财习惯已经出现了重大变化，储蓄已不再是居民理财的首选。

3 ……，（要）不然的话，……

1. 一定得再减几斤，要不然的话，跟迷你裙、比基尼都得说再见了。

2. 减肥也要谨慎，不然的话，盲目减肥对健康造成的危害，也许会比不减肥大得多。

3. 一定要尽快控制火势的扩展，要不然的话，后果不堪设想。

4 **必须得……，否则……**

　　1. 必须得减，否则下雨都不能跟女朋友打一把雨伞。

　　2. 必须得保证产品的质量，否则你将会失去所有的客户。

　　3. 必须得想方设法解决停车难问题，否则这里的车道都要变成停车场了。

5 **要是（不）……，就别想……**

　　1. 要是不让自己瘦下来，就别想找到好工作。

　　2. 要是不能选择适合自己的方式，就别想达到理想的效果。

　　3. 要是没有一个完美的身材，就别想在模特界有所作为。

4/22/15　　课文一　爱美之心，人皆有之

课　文　43

→ change/alter transform

　　随着生活水平的提高和生活节奏的改变，人们的身体状况开始走下坡路，"三高①"人群、肥胖人群逐渐增加，于是健美瘦身成为了人们讨论的热门话题，瑜珈②、晨练、健身房成了人们常挂在嘴边的词语。如果你不知道有氧运动③，不知道普拉提④、街舞⑤，没有私人教练，那你就落伍了。而肥胖，不仅严重危害人们的身体健康，还极大破坏了个人的美好形象，所以成为了大家的"头号公敌"。

---

① 三高（sān gāo）：即高血压、高血糖和高血脂。

② 瑜珈（yújiā）：印度的一种传统健身法，强调呼吸规则和静坐。（yoga）

③ 有氧运动（yǒuyǎng yùndòng）：强度较低的运动，运动消耗的氧气量低于人体摄入的氧气量。散步、慢跑、打太极拳等都属于有氧运动。（aerobic exercise）

④ 普拉提（pǔlātí）：一种静力性的健身运动，融合了东、西方的健身理念。（Pilates）

⑤ 街舞（jiēwǔ）：一种源于美国街头的舞蹈。（hip hop dance）

　　有网站曾经作过一项调查，在众多的被访者当中，有7成的被访者对健美瘦身感兴趣，而且有高达55%的人正在进行健美瘦身。其中，女性比例稍高于男性。如此看来，真的是"爱美之心，人皆有之"。至于采用哪种方式健美瘦身，有43.4%的被访者常在健身房或体育中心进行运动，有37.1%的人选择限制或规范饮食，选择吃减肥瘦身食品的为8.1%，而选择服用减肥瘦身药物、喝减肥瘦身饮料的分别为5.2%和1.9%，另有4.3%选择了其他方式，如手术、中医等。由此可见，运动仍是大家选择最多的健美瘦身方式。

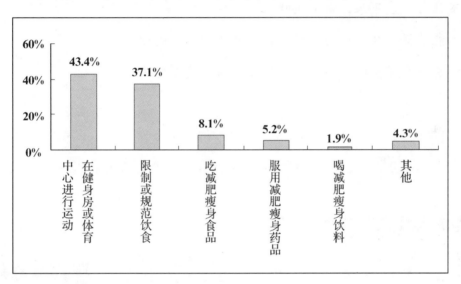

生　词　[44]

1.	皆	jiē	（副）	都，都是。all; each and every
2.	下坡路	xiàpōlù	（名）	由高处通向低处的道路，常用于比喻衰落或灭亡的趋势。a downhill path; a downhill journey; decline
3.	瘦身	shòushēn	（动）	使身体变瘦。lose weight; slim down
4.	落伍	luòwǔ	（动）	行进中跟不上队伍的节奏而落在后面，常用于比喻人或事物跟不上时代。fall behind; straggle; drop behind; drop out
5.	头号	tóuhào	（形）	（在地位、重要性、影响、大小等方面）排第一位的。number one; size one; first-rate; top quality
6.	公敌	gōngdí	（名）	共同的敌人。public enemy
7.	众多	zhòngduō	（形）	很多，多用于形容人。numerous

| 8. | 饮食 | yǐnshí | （名） | 吃东西和喝东西。~food & drink; diet~ |
| 9. | 服用 | fúyòng | （动） | 吃（药）。~take (medicine)~ |

边学边练

头号　瘦身　健身房　至于　服用　落伍　走下坡路

1. __瘦身__ 不仅是为了外形美，也是对健康的追求。

2. 随着人们对健康越来越重视，各式各样的 __健身房__ 应运而生。

3. 如果不随时更新技术，我们的产品很快就会 __落伍__ ，最终将被淘汰。

4. 他可是赛场上的 __头号__ 球星，拥有众多的粉丝。

5. 这种药在饭前 __服用__ 效果更好。

6. 最近的产品质量一直在 __走下坡路__ 这个问题非常严重。

7. 产品的设计方案已经公布， __至于__ 产品什么时候能够上市，还是个未知数。

4/23/15

课文二　减肥的原因

课文 45

有人说减肥是为了健康，为了远离各种因肥胖而引起的疾病。而更多的女孩子会告诉你是为了穿好看的衣服，为了自己喜欢的人，为了让自己变得更美丽、更自信。不知道是不是每个人都尝试过减肥，但每个减肥的人一定都有自己充足的理由。面对专家"千万不要再盲目减肥了"的提醒，面对家人"你又不胖，何苦折腾自己呢"的劝说，我们来听听他们是怎么说的吧。

◆身材好了，穿什么衣服都漂亮。一定得再减几斤，要不然的话，跟迷你裙⑥、比基尼⑦都得说再见了。

◆要知道，问售货小姐"有没有特大号的衣服"，是一件很丢脸的事情；但

---

⑥迷你裙（mínǐqún）：也叫超短裙，长度很短、下边缘在膝盖以上的裙子。（miniskirt）

⑦比基尼（bǐjīní）：也叫三点式游泳衣，遮挡面积很小的女式游泳衣。（bikini）

是"这里的衣服都太肥了"却可以理直气壮地说出口。

◆体重超重行动都不方便，夏天一走路就出汗。必须得减，否则下雨都不能跟女朋友打一把雨伞。

◆其实胖起来做什么事都不方便，而且大家都认为胖人做事比较迟钝、比较慢。更重要的是，现在社会很现实的，以貌取人，要是不让自己瘦下来，就别想找到好工作。

◆和那些年轻漂亮的同事一起逛街，再也不会感到自卑了。还可以对去香港、去巴黎的朋友公开自己的三围⑧，好让他们帮忙带衣服回来。

◆让现任男友体面，让过去男友遗憾。

◆一辈子就结一次婚，婚礼上我一定要是最美的新娘，穿最美的婚纱。

生　词 46

1.	肥胖	féipàng	（形）	脂肪过多，胖。 *very very fat*
2.	盲目	mángmù	（形）	眼睛看不见东西，比喻认识不清。 *blind*
3.	何苦	hékǔ	（副）	何必自寻苦恼，用反问的语气表示不值得做某事。 *why bother; is it worth the trouble*
4.	折腾	zhēteng	（动）	折磨，使某一对象在精神上或肉体上痛苦。 *toss about; do sth over and over again*
5.	劝说	quànshuō	（动）	用语言劝人。 *persuade; advise*
6.	丢脸	diūliǎn	（动）	丧失体面。 *lose face; be disgraced*
7.	理直气壮	lǐ zhí qì zhuàng	（成）	理由充分，因而说话有气势。 *one is bold and (assured)*
8.	迟钝	chídùn *不太聪明*	（形）	反应慢，不灵敏。 *slow in thought or action; obtuse*
9.	以貌取人	yǐ mào qǔ rén	（成）	只根据人的外表来判断人的品质或能力。 *judge people solely by their appearance*
10.	自卑	zìbēi	（形）	轻视自己，认为不如别人。 *feel oneself inferior; be self-abased*

---

⑧ 三围（sānwéi）：指人的胸围、腰围和臀（tún）围。

11.	现任	xiànrèn	（形）

现在担任的。*at present hold the office of; currently in office*

12.	体面	tǐmiàn	（形）

光荣，光彩，荣耀。

dignity; face; honourable

边学边练

何苦　　尝试　　以貌取人　　理直气壮　　丢脸　　体面

to lose ↑　　*attempt; try* ↑

1. 输掉比赛并不是什么　__丢脸__　的事，重要的是要在比赛中不断进步。

2. 这些东西都能买到，　__何苦__　自己花时间花工夫去做呢？

3. 他们正在　__尝试__　新的车辆管理办法，希望可以缓解本地区的交通问题。

4. 挑选员工不能__以貌取人__，要根据他们的实际能力来决定。

5. 公务员算得上是一份既稳定又　__体面__　的工作。

6. 成立了代驾公司，现在他可以　__理直气壮__　地为自己做广告了。

课文三　最省钱的瘦身方法

课　文 47

很多人，特别是女士们，每年花在减肥上的金钱不少，遇到手头紧的时候只好放弃。可是专家说，何必去大把大把地花钱呢？不妨看看这里的建议，它们都是不必花大笔金钱去健身中心也可以做的健身运动，达到既经济又瘦身的目的。当然，不管用哪种方法，千万不能三天打鱼，两天晒网。

步行——这大概是最简便、最经济的健身方法了。每星期最少3次，每次连续步行20分钟。

gai

> general idea

爬楼梯——有人计算，爬楼梯10分钟要消耗220卡热量。怎么样，上课、上班、回家时，别再坐电梯了，还是爬爬楼梯吧，你会收到意想不到的效果。

骑自行车——自行车是很普通的代步工具，也是一种很好的健身工具。每星期3～4次，每次持续半小时，能让你的身体得到足够的锻炼，并且平均每

10 分钟消耗 100 卡的热量。

　　早晨体操——早上起来，做大约 20 分钟体操，不但能收到健身的功效，还能让你更有精神面对一天的工作、学习。

　　跳绳——它并非只适合儿童，连运动员也用这种方法来锻炼身体。还省钱，需要的只是一根绳子。

　　利用免费的公共设施——现在的小区或公园里，基本都有公共的健身设施，好好利用它们，一样可以达到健身的作用。

　　做家务——这是最有效的减肥方法之一，扫地、擦地、吸尘、熨衣服、擦玻璃，既帮你消耗了多余的热量，又收拾了房间，一举两得。

生　词

1.	经济	jīngjì	（形）	用较少的人力、物力、时间获得较大的成果。
2.	三天打鱼，两天晒网	sān tiān dǎ yú, liǎng tiān shài wǎng	（成）	比喻学习或做事缺乏恒心，时常中断，不能坚持。
3.	持续	chíxù	（动）	一直这样不间断。
4.	锻炼	duànliàn	（动）	通过体育运动使身体强健。
5.	功效	gōngxiào	（名）	功能、成效。
6.	跳绳	tiàoshéng	（动）	一种体育活动或游戏，把绳子挥舞成圆圈，人趁绳子近地时跳过去。
7.	设施	shèshī	（名）	为某种需要而建立的机构、系统、组织、建筑、设备等。
8.	扫地	sǎodì	（动）	用笤帚、扫帚清除地上的脏东西。
9.	吸尘	xī chén		用专门的设备吸收清除灰尘和细小的脏东西。
10.	熨	yùn	（动）	用发热的工具来烫平（衣服等）。
11.	一举两得	yì jǔ liǎng dé	（成）	做一件事，得到两种收获。

边学边练

三天打鱼，两天晒网　　　一举两得　　　功效　　　何必

1. 做什么事都贵在坚持，不能 <u>三天打鱼，两天晒网</u>

2. 你们的表演很有特色，<u>何必</u> 非要去模仿别人呢？

3. 这几种水果都含有丰富的维生素，还有减肥的 <u>功效</u>，不妨多吃点儿。

4. 这样的投资既方便了大众，又宣传了企业，真是 <u>一举两得</u> 的好事。

课堂活动与任务

一、模仿例子说出更多的词语。

　　1. 健身：＿＿＿＿＿　　　＿＿＿＿＿　　　＿＿＿＿＿

　　2. 超重：<u>超速</u>　　　＿＿＿＿＿　　　＿＿＿＿＿

　　3. 自卑：<u>自杀</u>　　　＿＿＿＿＿　　　＿＿＿＿＿

　　4. 省钱：＿＿＿＿＿　　　＿＿＿＿＿　　　＿＿＿＿＿

二、选择词语，灵活运用。

瘦身	丢脸	如此看来	何必	要不然的话
至于	干万	挂在嘴边	不妨	

1. 要想了解到底都是哪些人在拼命减肥，<u>不妨</u> 到各个健身中心去走一走、看一看。

2. 消防员已经扑灭大火，<u>至于</u> 还要进一步调查。

3. 必须得减肥了，<u>要不然的话</u>，上个月买的衣服就穿不下了。

4. 人们越来越重视自己的形象，<u>瘦身</u> 自然也就成了热门话题。

5. 拼客们有的拼车，有的拼房，还有的拼卡，<u>如此看来</u>，生活中可拼的东西太多了。

6. 爬楼梯、走路都能很好地达到减肥的目的，**何必花钱**　　　呢？

7. 晚上睡觉前**千万不要吃东西**，否则你一天的锻炼都白费了。

8. 年轻人不仅在网上频繁地使用网络语言，还常常**挂在嘴边**。

9. 我是代表大家去参加比赛的，一定会努力，绝不**丢脸**。

三、参考所给词语，根据课文内容说一说。

1. 根据课文一，说说人们对健康和瘦身的看法。

（走下坡路　热门　挂在嘴边　落伍　头号）

2. 说说课文一中所作调查的情况和结论。

（瘦身　爱美之心，人皆有之　如此看来　由此可见）

3. 根据课文二，专家是怎么劝说那些减肥的人的？

（何苦　何必　千万）

4. 根据课文二，说说人们减肥的原因。

（要不然的话　丢脸　否则　要是不……就别想……）

5. 根据课文三，说说都有哪些省钱的瘦身方法。

（何必　不妨　别再……了　还是……吧　一举两得）

四、举一反三。

1. 在众多的被访者当中，有高达 55% 的人正在进行健美瘦身。至于采用哪种方式健美瘦身，有 43.4% 的被访者常在健身房运动，有 37.1% 的人选择限制饮食。

（1）我们了解到有不少人在使用我们的产品，_至于他们怎么_（many）_用，我们不知道_。

（2）_____，_____，还需要更深入的调查和研究。_investigative research_

（3）_____。

2. 有 43.4% 的被访者常在健身房运动，有 37.1% 的人选择限制饮食，……，另有 4.3% 选择了其他方式。由此可见，运动仍是大家选择最多的健美瘦身方式。

（1）在国外生活期间，60% 的男生体重有所下降，而 70% 的女生体重有所增加，<u>由此可见 比较 ↓</u>，_____。

（2）_____，_____，减肥方式是因人而异的。没个人不一样

（3）_____。

3. 一定得再减几斤，要不然的话，跟迷你裙、比基尼都得说再见了。

（1）千万记得提前通知一下，<u>要不然的话</u>，<u>很多人不可以出席 你的派对</u>。

（2）<u>我们应该学习很努力</u>，要不然的话 我们就再也没有机会了。

（3）_____。

4. 必须得减，否则下雨都不能跟女朋友打一把雨伞。（未不 chao 了）

（1）必须得按时完成，<u>否则我会扣十分。</u>

（2）<u>必须得大学毕业了</u>，否则连面试的机会都没有。

（3）<u>必须得吃饭，否则你 妈妈 很生气。</u>

5. 要是不让自己瘦下来，就别想找到好工作。

（1）要是不积累一定的经验，<u>就尤别想改变你的生活</u>。（？）

（2）<u>要是不 能处理 麻烦</u>_____，就别想达到你的目标。

（3）<u>要是不</u>_____。

6. 别再坐电梯了，还是爬爬楼梯吧。

（1）别再考虑来考虑去了，<u>还是你可能选错 吧。</u>

（2）_____，还是请个高手吧。

（3）_____。

五、交际策略——推断与结论

在调查报告中常会先用数字说明具体情况，然后再推断出调查结论，这时常常会用到："……，由此可见……""……，如此看来……""……，由此可以看出，……"，除此之外，还有"从调查中可以看出，……""……，这说明……"等。

1. 在众多的被访者当中，有7成的被访者对健美瘦身感兴趣，而且有高达55%的人正在进行健美瘦身。如此看来，真的是"爱美之心，人皆有之"。

2. 有43.4%的被访者常在健身房或体育中心进行运动，有37.1%的人选择限制或规范饮食，选择吃减肥瘦身食品的为8.1%，而选择服用减肥瘦身药物、喝减肥瘦身饮料的分别为5.2%和1.9%，另有4.3%选择了其他方式，如手术、中医等。由此可见，运动仍是大家选择最多的健美瘦身方式。

3. 在调查中，只有7%的人表示曾经尝试过，由此看来，人们有这样的愿望，但是真正采取行动的却极少。

对以下话题作调查，然后得出你的结论。

1. 市民目前的居住情况

2. 人们常采用的健身方式

3. 人们认为最好的减肥方式

4. 大家对名牌服装的态度

5. 大家使用的电子产品的品牌

六、表达训练——提醒、劝说或警告

读一读，想一想：

◇ 千万不要再盲目减肥了。

◇ 你又不胖，何苦折腾自己呢？

◇ 一定得再减几斤，要不然的话，跟迷你裙、比基尼都得说再见了。

◇ 必须得减，否则下雨都不能跟女朋友打一把雨伞。

◇ 要是不让自己瘦下来，就别想找到好工作。

◇ 何必去大把大把地花钱呢？不妨看看这里的建议。

◇ 不管用哪种方法，千万不能三天打鱼，两天晒网。

◇ 上课、上班、回家时，别再坐电梯了，还是爬爬楼梯吧。

◇ 我劝你好好利用它们，一样可以达到健身的作用。

你认为上面这几句话表达了什么意思？什么时候会使用这样的表达方式呢？

小贴士

当我们认为对方的行为有不当、不妥或错误的时候，我们会进行提醒、劝说或警告。表达这种意思时，句子可以比较简练，如"何苦呢？""何必（……）呢？"，提醒对方不必如此；也可以直接劝说或阻止，如"我劝你……""不能再……了""别再……了""千万不要/别……""最好别……""最好少……"；还可以更严厉地提出警告，如"必须得……，否则，……""要是……，就别想……"，配以适当的语气，可以清楚地表达你的用意。

试一试，说一说：

1. 朋友每天都喝很多咖啡。

2. 一个朋友为了减肥已经花了很多很多钱。

3. 有些人常常超速开车。

4. 两个同屋因一点小问题闹了矛盾。

5. 附近商店就有的东西，他却要到很远的地方去买。

6. 有一个人把挣的钱都用来搞各种发明，却从来没成功过。

七、完成任务。

社会调查：人们健身和减肥的原因、目的、方式、经历、结果，并给出提醒、劝说或警告。

健身、减肥			
原因、目的	方式	效果	提醒、劝说

八、小组讨论。

1. 健身的重要性是什么？

2. 一个人的身材到底有多重要？

3. 有效的瘦身减肥方式有哪些？

4. 你如何看待"以貌取人"？

内容链接一

爱情影响女性体重变化

女性的体重变化受到很多因素的影响。有些人可能会认为，这是因为女性工作太忙没时间健身；也有一些人认为，这是因为女性禁不住办公室巧克力机的诱惑。但一项最新研究表明，真正的原因只有一个——那就是她们的爱人。

这项针对女性体重波动的研究显示，爱情幸福与否是影响女性体重变化的最重要因素。

研究发现，女性在"恋爱初期"通常会控制饮食，这一阶段她们的体重会下降5磅。

而在进入第二个阶段即"舒适期"后，安逸稳定的生活会让她们放松下来，同时体重也会随之增加。

到了结婚筹备期，女性的体重又会减掉几磅；而生了宝宝后，她们的体重又会大增，只有等到"再造期"重塑美丽身材了。

研究显示，女性的体重在这五个阶段会上下波动约 28 磅。很多女性也清楚地认识到了这一点，"我们的情绪和感情状态会对我们的健康，尤其是体重产生很大影响。"

（选自"国际在线论坛"）

内容链接二

40% 的人想减肥

对于女孩子来说，减肥是一个永恒的话题。胖的女孩子信誓旦旦说要减肥，健康体形的女孩子也喊着要减肥，明明已经很苗条的女孩子也常常说要减减肥。事实上，减肥人群当中有不少人的体格已经是很健康的了，她们也不知道自己是否真正需要减肥，她们只是在意念上希望自己可以再瘦一些，以达到西方"骨感美人"的标准。特别是到了夏季，女性为了可以穿上性感的泳衣、甜美的超短裙、可爱的吊带衫，于是下定决心狠狠地减肥。

每每到了这个时节，相应的各种减肥方式通过各种渠道出现在大众眼前，减肥药、健美器械、健美操光盘、各种减肥书籍、美容纤体，等等，铺天盖地席卷而来。每一种宣传广告都在诱惑着人们，以至于让人们觉得自己是不是也应该减肥。往往会有不少人不惜耗费大量的钞票来换取苗条的身材，希望奇迹能够在自己身上出现。但是这样盲目地减肥往往事倍功半甚至失败，因为没有正确的、明确的减肥目标，减肥事业往往不能坚持到最后。

（选自潍坊新闻网）

我的收获

◎ 重点词语

◎ 表达方式

◎ 精彩观点

◎ 文化差异

◎ 其他方面

 到底谁的错

表达方式

1 ……，乃至……

1. 全亚洲，乃至全世界的大学毕业生都面临着几十年来最糟糕的就业形势。

2. 人口密度过高会给城市居住、交通、环保，乃至就业等方方面面带来巨大压力。

3. 他的这种做法受到了周围同事、朋友，乃至家人的强烈反对。

2 把……归咎于……

1. 很多学生找不到工作，于是大发牢骚，把所有的过错都归咎于学校专业设置不合理、教学质量差。

2. 社会上有很多人把美国日益严重的肥胖问题归咎于快餐业。

3. 把就业难的责任都归咎于学生自身能力低，这恐怕很难让广大学生接受。

3 ……，更有甚者，……

1. 很多学生找不到工作，把所有的过错都归咎于学校专业设置不合理或者是企业过于强调工作经验，更有甚者，指责国家的扩招政策给他们带来了空前的就业压力。

2. 如今有不少学生考试作弊，更有甚者，还有专门替别人考试的"枪手"。

3. 一些部门借着各种理由乱收费，更有甚者，对收取的费用连发票也拒绝提供。

4 ……未免……

1. 只是单方面让大学生降低对工作岗位报酬的期望值，未免有点儿不近情理。

2. 你在他朋友面前这样批评他，未免太过分了。

3. 他们在预赛中就被淘汰，这未免有些让人失望。

5 虽说……，但……

1. 虽说工作岗位没有贵贱之分，但从人力资源角度来讲，也还是有简单与复杂、技能知识要求的高与低之分吧。

2. 虽说他的工资不算低，但要在高消费的大城市维持两个人的生活还是一点儿也不富余。

3. 虽说他们的产品有了一定的知名度，但要进入国际市场还需要好好策划。

课文一   到底谁的错

课 文   49

近几年，在世界各地的媒体上都不难找到关于大学毕业生就业形势严峻的报道，马来西亚《星洲日报》说，从日本到马来西亚、新加坡和菲律宾，学生们都在担忧找不到工作，全亚洲，乃至全世界的大学毕业生都面临着几十年来最糟糕的就业形势。中国也不例外，随着大学毕业生人数越来越多，就业压力也越来越大。再加上席卷全球①的金融危机，使大学毕业生求职更是雪上加霜。一毕业就面临着失业，是很多学生和家长不能接受的事实。毕业之际，高校大学生的低就业率就成了热门话题。

很多学生找不到工作，于是大发牢骚，把所有的过错都归咎于学校专业设置不合理、教学质量差，或者是公司企业过于强调工作经验，更有甚者，指责国家的扩招②政策给他们带来了空前的就业压力。面对毕业生的牢骚，不少公司的负责人也在抱怨，他们每年都举办校园招聘会，结果却常常空手而归。

找工作的人找不到工作，招员工的人招不到员工。一毕业就失业的这些大学生们，没有工作到底是谁的错？

---

① 席卷（xíjuǎn）全球（quánqiú）：形容全世界都被卷入其中，受到影响。
② 扩招（kuòzhāo）：扩大名额招收。

生 词 `50`

1.	担忧	dānyōu	（动）	发愁，忧虑。worry, be anxious
2.	乃至	nǎizhì	（连）	甚至。and even (to the extent that)
3.	雪上加霜	xuě shàng jiā shuāng	（成）	比喻一再遭受灾难，损失愈加严重。snow plus frost; one disaster after another
4.	率	lǜ	（后缀）	相关数在一定条件下的比值。rate, proportion, ratio
5.	归咎	guījiù	（动）	归罪，常常与"于"连用为"归咎于"。impute to, attribute a fault to, put the blame on
6.	过于	guòyú	（副）	表示程度或数量过分，太。too, unduly, excessively
7.	更有甚者	gèng yǒu shèn zhě		形容程度更深，更过分。furthermore (idiom)
8.	空前	kōngqián	（动）	从前所没有。unprecedented

边学边练

牢骚　　乃至　　过于　　归咎于　　更有甚者　　空手而归　　雪上加霜

1. 球队的失败给队员、教练，乃至　他们的球迷都带来了沉重的打击。

2. 光在这里发牢骚　有什么用，还是先想想有什么解决的办法吧。

3. 他在选择工作时过于　看重工资的高低，因此失去了不少机会。

4. 不能把过错都归咎于　孩子，家长也要承担一部分责任。

5. 朋友们都大包小包买了不少，只有他一个人空手而归。

6. 连日的暴雨对刚刚经历了一场地震的灾区来说，无疑是雪上加霜。

7. 这些年轻人每个月的消费动不动就是几千块，更有甚者，有的达到了上万块，远远超过了他们的收入水平。

课文二　高不成，低不就

课 文 `51`

对于大学毕业生就业难的问题，社会上存在种种不同的观点，下面列举了两种大不相同而又各具代表性的观点。

★ 我认为大学生就业存在一种"高不成，低不就"的现象。所谓就业难，很大程度上是主观因素造成的，他们的心理定位与实际能力差距太大。有调查显示，众多的大学毕业生一心想进知名大公司，电信、通信、计算机和金融都是他们首选的目标。然而，众所周知，这些行业都具有较高的技术门槛，一般

来说都要求具备一定的专业知识和行业经验。对于毫无实际经验的应届毕业生而言，想进入这些行业，尤其是进入其中的优秀企业，无疑是一种眼高手低、不切实际的表现。另一方面，有些大学生找工作时挑三拣四，在他们看来，像导购③、促销员、销售这样的普通的就业岗位，与他们毫

无关系，甚至是对他们的羞辱。我劝他们脚踏实地，从自身能力和兴趣出发，作出切实的职业规划，改掉好高骛远的毛病，作好从小公司、低职位干起的心理准备。要知道，有多少有成就的名人大家，尽管他们毕业于名牌大学，但都是从最基础的工作做起的。

★ 俗话说，人往高处走，水往低处流，刚刚走出校门的大学生们在就业问题上大都抱着很高的期望值，知名的公司、丰厚的薪水、体面的岗位，我觉得无可非议。大家不妨设身处地为这些学生和他们的家长想一想。学生们辛辛苦苦读了十几年书，家长们好不容易把孩子供出来，谁不想找到好的工作，有好的待遇，这才对得起多年的苦读和家庭的投入。如果根本不考虑读书的高成本，只是单方面让大学生降低对工作岗位报酬的期望值，未免有点儿不近情理。虽说工作岗位没有贵贱之分，但从人力资源角度来讲，也还是有简单与复

---

③ 导购（dǎogòu）：介绍商品、引导顾客购物的人。

杂、技能知识要求的高与低之分吧。如果大学生毕业都去从事简单的体力劳
动，是否有点儿大材小用呢？

生 词 52

1.	高不成，低不就	gāo bù chéng, dī bú jiù	（成）	条件高而合意的，得不到或做不了；条件低的，又觉得不合意而不肯要或不肯做，结果总是不成功（多用在选择工作或婚姻对象时）。be unfit for a higher post but unwilling to take a lower one
2.	众所周知	zhòng suǒ zhōu zhī	（成）	大家全都知道。it is common knowledge that, as everyone knows (sth)
3.	门槛	ménkǎn	（名）	门框下部挨着地面的横木或石头，进出门时需要抬脚跨过去，常用于比喻标准或条件。way to do sth

（没有门槛）

4.	应届（毕业生）	yīngjiè	（形）	本期的（只用于毕业生）。this year's (sth)
5.	眼高手低	yǎn gāo shǒu dī	（成）	自己要求的标准高，而实际工作的能力低。have high standards but little ability; be festidious but incompetent
6.	挑三拣四	tiāo sān jiǎn sì	（成）	挑选得过分严格、仔细。pick and choose, be choosy
7.	羞辱	xiūrǔ	（动）	使受到耻辱。shame, dishonor, humiliation
8.	脚踏实地	jiǎo tà shí dì	（成）	形容做事踏实认真。earnest and down-to-earth
9.	好高骛远	hào gāo wù yuǎn	（成）	不切实际地追求过高的目标。reach for what is beyond one's grasp, aim too high
10.	期望值	qīwàngzhí	（名）	对人或事物所抱希望的程度。expected value, merit, worth
11.	丰厚	fēnghòu	（形）	数量多，价值高。thick, rich & generous
12.	薪水	xīnshuǐ	（名）	工资。salary, pay, wages
13.	无可非议	wú kě fēi yì	（成）	没有什么可以指责的，表示言行合乎情理。irreproachable, blameless, beyond (or above) reproach, above criticism
14.	设身处地	shè shēn chǔ dì	（成）	设想自己处在别人的位置上或境遇中。put oneself in sb else's position
15.	未免	wèimiǎn	（副）	实在不能不说是……。rather, a bit too, truly
16.	大材小用	dà cái xiǎo yòng	（成）	大的材料用在小处。多指人事安排上不恰当，委屈或浪费了人才。one's talent wasted on a petty job, not do justice to one's talents

边学边练

| 未免 | 虽说 | 薪水 | 挑三拣四 | 大材小用 | 人往高处走，水往低处流 |

1. 这份工作虽然很辛苦，可是＿＿＿＿＿＿不低，他打算递份简历试试运气。

2. ＿＿＿＿＿我已经作了充分的准备，但也不敢保证一定能成功。

3. 又要长得好，又要身材苗条，还要性格温柔、学历高，你这么＿＿＿＿＿，什么时候才能找到女朋友啊？

4. 博士毕业却在商场做导购，大家都认为这是＿＿＿＿＿。

5. ＿＿＿＿＿，有升职的机会，谁会放弃呢？

6. 他辛苦了好多天做出来的成果，你们却看都不看一眼，未免太不尊重人了。

课文三　24 个职业小问题

课　文　53

　　年轻人如何面对成长、步入社会，特别是如何在职场获得成功、实现自我价值，这往往需要过来人的点拨和指导。有一位著名的社会活动家曾给大学生和年轻人提出了这样 24 个问题。他说，职场发展当然有很多问题，但有些是基本问题，这些问题做好了不能保障你有好的职业发展，但如果没做好，则会受到同事与领导的恶评。这些问题中，有些是你会在单位里得到培训的，如果你在学校时就解决了，那么进入单位一开始就能让其他人对你产生好感。下面就是这 24 个问题，花点儿工夫，动动脑筋，看你能否找到满意的答案。

（1）对新单位你会说"我们公司"，还是会说"公司"，还是说"你们公司"？

（2）进公司知道怎么称呼你们的老总吗？

（老板）

（3）第一天上班应该穿什么服装？

（4）作为一个工作人员，接电话的说法与个人以往的说法有什么不同？

（5）你觉得作为一个新职员应该印名片吗？

（6）在新人介绍会上，你会怎么介绍自己的特点？

（7）你会主动与老员工搭话，还是等他们主动与你打招呼？

（8）作为新同事，对办公室里有人不讲卫生、走时不关电灯等如何反应？

（9）起草文件的基本格式你知道吗？

（10）起草文件用什么样的纸张？

（11）文件的订书钉④应该钉在什么位置？

（12）会做 PPT 文件吗？

（13）如果你有自己的手提电脑，上班的时候可以用自己的电脑吗？

（14）领导让你把今天的谈话写个纪要⑤，你知道怎么写纪要吗？

（15）20 个单位报来情况，要列个表，让领导一目了然，你知道怎么列吗？

（16）领导让你订个餐馆，你知道本地有多少个合适的餐馆吗？

（17）你考虑过在其他人面前发言如何形成自己的表达特点吗？

（18）开个小工作会，你会作五分钟小结吗？

（19）不喜欢领导的一些做法，你如何与领导沟通？

（20）领导长得很胖，你怎么描述他的体形？

（21）不满意同事的做法，你如何向领导反映？

（22）你如何向领导毛遂自荐？

（23）你如何向领导询问自己的奖金与待遇水平？

（24）在一个薪水和报酬不公开的单位，有同事想和你交流这方面信息，你怎么应对？

（选自袁岳《黑苹果》）

---

④ 订书钉（dìng shū dīng）：装订文件用的钉子。（staple pin）

⑤ 纪要（jìyào）：记录要点的文字。

生 词 54

1.	职场	zhíchǎng	（名）	工作、任职的场所。workplace, career
2.	过来人	guòláirén	（名）	对某事有过亲身经历和体验的人。a person who has led the experience
3.	点拨	diǎnbo	（动）	指点。give directions, show how (to do sth)
4.	搭话	dāhuà	（动）	搭腔，主动与别人交谈。make conversation
5.	起草	qǐcǎo	（动）	打草稿。make a draft, draft, draw up
6.	格式	géshì	（名）	一定的规格式样。form, pattern
7.	一目了然	yí mù liǎo rán	（成）	一眼就能看清楚。be clear at a glance
8.	毛遂自荐	Máo Suì zì jiàn	（成）	比喻自己推荐自己。volunteer one's services
9.	应对	yìngduì	（动）	回答或采取措施、对策应付出现的情况。reply, answer

边学边练

过来人　搭话　应对　格式　一目了然

1. 我是 过来人 ，我可知道在那种情况下压力有多大。secretary

2. 公司的这些文件都有一定的 格式 ，身为秘书一定要掌握。mishu zhangwo →grasp, master

3. 他把这几个月的销售量用柱形图来展示，哪个月多哪个月少，一目了然 。

4. 她太害羞了，很少跟其他人 搭话 。haixiu

5. 铁路和航空都采取措施 应对 节日客流高峰。
liú→水

课堂活动与任务

一、模仿例子说出更多的词语。

1. 就业率：_____　_____　_____

2. 发牢骚：_____　_____　_____

3. 无疑：_____　_____　_____

4. 期望值：_____　_____　_____

二、选择词语，灵活运用。

过于	无疑	再加上	众所周知	丰厚
一心	未免	……率	无可非议	

1. 电信行业、网络行业这些年都获得了__丰厚的利润__。

2. 他__一心想进入__这家500强企业，为此放弃了到其他公司工作的机会。

3. 我觉得学校对学生的管理严一些、要求高一些都__无可非议__。

4. __众所周知__，超速驾驶和酒后开车是造成交通事故的两个主要原因。

5. 工作时间长，报酬低，__再加上__工作环境差，有谁愿意到这样的岗位啊？

6. 电子书的出现__无疑__会给传统纸质图书带来前所未有的冲击。

7. 这次面试失败跟他__过于__有关。

8. 把过错都归咎于服务员，__未免__太冤枉他们了。

9. 受到金融危机的影响，__失业率__已经高达12%。

三、参考所给词语，根据课文内容说一说。

1. 根据课文一，说说世界各地的就业形势。

（严峻　担忧　乃至　再加上　雪上加霜）

2. 根据课文一，说说学生和公司对就业难各有什么看法。

（发牢骚　把……归咎于　过于　更有甚者　空手而归）

3. 根据课文二，说说就业难，学生本身存在的问题。

（高不成，低不就　差距　一心　门槛　眼高手低　挑三拣四　好高骛远）

4. 根据课文二，说说大学生希望找到更好工作的理由。

（人往高处走，水往低处流　期望值　无可非议　未免　大材小用）

5. 试着回答课文三中的 24 个问题。

（职场　起草　格式　搭话　一目了然　毛遂自荐　应对）

四、举一反三。

1. 全亚洲，乃至全世界的大学毕业生都面临着几十年来最糟糕的就业形势。

（1）这次涨价涉及汽车、家用电器，乃至电脑都最贵了。（?）

（2）_____，乃至_____都非常关注事情的进展。

（3）_____。

2. 很多学生找不到工作，于是把所有的过错都归咎于学校专业设置不合理、教学质量差。

（1）有些人把交通拥堵的原因归咎于他们的父母（?）

（2）_____归咎于粗心大意。

（3）_____。

3. 很多学生找不到工作，把所有的过错都归咎于学校专业设置不合理，更有甚者，指责国家的扩招政策给他们带来了空前的就业压力。

（1）电视上每个节目前都有不少广告，更有甚者，有些_____

_____。

（2）行人每天在路口都不小心，更有甚者，有些走上了犯罪的道路。

（3）这_____。

4. 只是单方面让大学生降低对工作岗位报酬的期望值，未免有点儿不近情理。

（1）最著名的几位选手都被淘汰了，未免太严格了吧_____。

（2）你想每次的_____，你的期望值未免太高了。

（3）_____。

5. 虽说工作岗位没有贵贱之分，但从人力资源角度来讲，也还是有简单与复杂之分吧。

（1）虽说他们表面上都没有反对，但实际上都不同意。

（2）虽说HSK六很难_____，但也应该勇敢地尝试一下。

（3）_____。

五、交际策略——成语的运用

汉语中的成语言简意赅，表现力丰富，能够用于各种语体。掌握一些成语并准确地理解和运用，对提高语言的表达效果有着重要的作用。恰当地使用成语，常常可以收到事半功倍的效果，起到画龙点睛的作用。但在使用时，要弄懂成语的意义，弄清成语的风格、色彩，充分注意语境，如：成语有褒义的，有贬义的，感情色彩非常鲜明；还有书面风格和口语风格等。

1. 席卷全球的金融危机，使大学毕业生求职更是雪上加霜。

2. 他们每年都举办校园招聘会，结果却常常空手而归。

3. 这无疑是一种眼高手低、不切实际的表现。

4. 有些大学生找工作时挑三拣四。

5. 我劝他们脚踏实地，从自身的能力和兴趣出发，作出切实的职业规划，改掉好高骛远的毛病。

6. 如果大学生毕业都去从事简单的体力劳动，是否有点儿大材小用呢？

7. 你如何向领导毛遂自荐？

找出本课所学的或以前学过的成语，试着用一用。

1. 雪上加霜 —

2. 空手而归 —

3. 眼高手低 —

4. 挑三拣四 —

5. 毛遂自荐 —

6. 以貌取人 —

7. 一举两得

8. 雪中送炭

9. 锦上添花

10. 绞尽脑汁

六、表达训练——批评

读一读，想一想：

◇ 学校专业设置不合理，教学质量差。

◇ 公司企业过于强调工作经验。

◇ 这无疑是一种眼高手低、不切实际的表现。

◇ 我劝他们脚踏实地，改掉好高骛远的毛病。

◇ 这样未免有点儿不近情理。

你认为上面这几句话表达了什么意思？什么时候会使用这样的表达方式？

小贴士

对一些错误的行为或做法提出批评，可以直接指出"你这样做是不对的""……是错误的"，也可以说"……不合理""……差""……过于……""你怎么能……呢"，除此之外，还可以提出自己的看法，"……未免有点儿……""……未免太……了""……无疑是 / 显然是 + 不合理的 / 错误的"，或直接提出要求，"你要改掉……毛病 / 缺点"。

试一试，说一说：

1. 花钱大手大脚。

2. 浪费东西（水、粮食等）。

3. 说话不算数。

4. 约会总是无缘无故迟到很长时间。

5. 不与团队商量，随便作出决定。

6. 听不进别人的不同意见，而且大发脾气。

七、完成任务。

1. 社会调查：大学生的就业意向。

最想进入的行业	选择就业单位的标准	已经作的准备	你认为这些选择存在的问题

2. 社会调查：人们认为大学生就业难的原因有哪些。

社会原因	学生自身原因

八、小组讨论。

1. 什么是理想的职业？你的理想职业是什么？

2. 大学生应该为求职和就业作哪些准备？

3. 如何看待用人单位对工作经验的要求？

4. 大学生就业难更多是自身原因还是社会原因？

5. 大学应该教什么？

内容链接一

就业难引发对高等教育的反思

人们经常赞叹素有"工业强国"之称的德国，从"奔驰"汽车到磁悬浮列车，从西门子电器到日常生活用品，无不显示出精湛的技艺和高超的质量。其实，这种高质量首先得益于德国建立的系统、完备的职业技术教育体系。在德国，普通教育和职业教育是并行的两个教育体系，两个体系相对独立。德国学生初中毕业后，75%以上都直接进入企业和职业学校接受"双元制"教育培训，只有25%的学生接受普通教育。德国法律同时赋予职业教育证书和普通学历证书同等的地位。职业教育已成为德国提高国际竞争力的"秘密武器"，被誉为"经济发展的柱石""民族存亡的基础"。

有专家认为，高校有三种定位，即研究型大学、大学、职业学校，他觉得它们的比例应该是 1∶20∶40。但现在研究型大学和普通大学很多，职业学校太少，这与社会的需求不匹配，等大学生毕业后发现社会不需要那么多的"大路货"人才时，已经来不及了。

有关人士提出：对中国的高考制度和教育体制进行大刀阔斧的改革，崇尚科技、务实，培养学有所专、务实能干的新一代，已成为当务之急。

（选自中国新闻网）

内容链接二

人大代表的建议

华中科技大学校长李培根："就业难"并没有人们想象的那么困难。金融危机会减少就业机会，但它只是部分原因。大学生就业困难有部分原因是"就业观念"需要改变。大学生有时要学会"退而求其次"。

湖北省妇联主席梁惠玲：每个大学生都希望能找到一个理想的职业，但是并没有那么多的理想职业等着你。作为大学生，首先第一位的是就业，然后再择业。现在的就业形势是开放灵活的，随着大学生任职经验的丰富，就业的领域也会变宽，择业的机会也会变多。大学生就业一定要有一个先就业再择业的观念，才会积累更多的经验，找到更理想的岗位。

武汉大学党委书记李健：我国大学生就业难将是一个长期存在的问题。解决大学生就业要进一步扩大大学生毕业的去向，鼓励到基层、中小企业、中西部去。拓宽大学生就业渠道，特别是要鼓励大学生自主创业。自主创业有利于解决大学生本身的就业，还能创造新的岗位，有利于促进科技成果转化和培养造就创业型人才。

（选自人民网）

我的收获

◎ 重点词语

◎ 表达方式

◎ 精彩观点

◎ 文化差异

◎ 其他方面

低碳素食

表达方式

1 ……，（但）与此同时……

1. 一次性用品给人们带来了方便，但与此同时也增加了垃圾的排放。

2. 网络给人们的生活增添了丰富的内容，但与此同时，网络安全隐患也逐渐显现出来。

3. 地球上的森林面积每年都在迅速减少，与此同时，生活在森林中的动植物也在以惊人的速度灭绝。

2 不仅……，也……，同时还……

1. 过度包装不仅造成了巨大的浪费，也加重了消费者的经济负担，同时还增加了垃圾量，污染了环境。

2. 这次展览不仅向世界各国的人民介绍了我们真实的生活，也让他们了解了我们的文化，同时还引发了又一次"中国热"。

3. 从事儿童公益工作，不仅要求你有一颗爱心，也要求你投入大量的时间，同时还要求有必要的相关知识。

3 不单……，……更……

1. 这种过度包装不单在药品中常见，在营养品中更是屡见不鲜。

2. 我们敬佩这位医生，不单因为他医术高，更因为他重视每一位病人、珍惜每一条生命。

3. 环境问题不单是某一个国家、某一个地区的问题，更是整个世界的问题。

4 ……，想必……

1. 日本的生活用品价格一般要比我们国内贵出几倍，但是纸巾之类的日用纸品却和国内价格接近，想必就有资源回收的功劳。

2. 他带了这么多资料出席会议，想必是事前作了充分的准备。

3. 如果世界各国能合作应对，低碳减排的效果想必会更好一些。

5 不光……，还 / 也……

1. 不光消除了无数动物的痛苦，免除了因肉食带来的种种疾病，还可以在很大程度上缓解世界能源危机和环境污染。

2. 要想做成这件事，不光要有决心，还要有切实可行的计划和具体的行动。

3. 成为众人瞩目的明星，这不光给他带来了荣誉，也给他带来了烦恼。

课文一　小调查：你有环保意识吗

课 文 　55

　　环保和低碳的话题从来没有像今天这样深入人心，随着人们环境意识的不断提高，以往日常生活中一些作为常识去理解、去参与的事物，已经不再符合今天的环保要求了。一次性用品给人们带来了方便，但与此同时也增加了垃圾的排放；城市机动车的增加，是工业化的标志之一，可是尾气污染也越来越严重地威胁着居民的身体健康。面对这类观念转换中的诸多问题，也许你能理解，但是你采取过什么行动呢？不妨先完成下面的题目，为你的环保意识打打分吧。

　■ 节电
① 记得关掉家用电器的电源开关。
② 把空调调到合适的温度，不是过高或过低。
③ 减少私家车的使用，尽量利用公共交通。
④ 改用节能型照明灯。
⑤ 利用太阳能。

■ 垃圾处理

⑥ 购物有计划，不买"半年闲"。

⑦ 注意保存塑料袋、纸袋、垃圾袋，循环使用。

⑧ 用过的纸张、笔记本等翻用另一面。

⑨ 把报纸杂志类印刷品送到废品回收站。

⑩ 买厕所卫生纸时选再生纸制品。

■ 节水

⑪ 洗衣服时适量使用肥皂，不用合成洗涤剂①。

⑫ 洗脸、刷牙、洗碗时不用长流水。

⑬ 为卫生间、厨房更换节水型的水龙头。

⑭ 把用过的洗澡水存起来，用来擦地、冲厕所等。

⑮ 收集夏天的雨水及空调的排水，作为防火用水存起来。

以上三种类型每种5道题，每道题满分10分。经常能做到的可得10分，有时能做到的得5分，根本做不到的得0分。怎么样，你的成绩如何？各类型中，20～30分的成绩说明你在该类型的问题中基本做到了善待环境，超过40分可评上这一类型的环保模范。而总分进入140～150分这一范围就堪称环保明星了。这些身边的环保课题，在一些人眼里也许不屑一顾，可是，如果我们每个人都能从这一点一滴做起，真正的低碳城市、绿色地球就离我们不远了。

（选自网易）

生　词　🔘56

1.	低碳	dītàn　（形）	指较低或更低的温室气体（二氧化碳为主）排放。low-carbon steel
2.	排放	páifàng　（动）	排出（废气、废水、废渣等）。discharge, let out drainage
3.	尾气	wěiqì　（名）	机动车辆或其他设备排出的废气。tail gas

---

① 洗涤剂（xǐdíjì）：洗涤用品，一般用化学合成方法制成，有去污作用。（detergent）

4. 诸多	zhūduō	（形）	许多（用于抽象事物）。*a good deal, a lot of*
5. 电源	diànyuán	（名）	向电子设备提供电能的装置。*power supply/source*
6. 节能	jiénéng	（动）	节约能源。*save energy*
7. 型	xíng	（后缀）	类型。*model, type, pattern*
8. 循环	xúnhuán	（动）	事物从开始到结束，然后又重新开始，这样反复不停地运动或变化。*circulate, cycle*
9. 废品	fèipǐn	（名）	破的、旧的或失去原有使用价值的物品。*waste product, reject*
10. 回收	huíshōu	（动）	把物品（多指废品或旧货）收回利用。*recycle*
11. 再生	zàishēng	（动）	对某种废品加工，使恢复原有性能，成为新的产品。*reprocess, regenerate*
12. 善待	shàndài	（动）	友善地对待，好好对待。*treat sb well*
13. 不屑一顾	búxiè yí gù	（成）	形容对某事物看不起，认为不值得一看。*regard as beneath one's notice*
14. 一点一滴	yì diǎn yì dī		形容微小零星。*every little bit*

边学边练

尾气　　回收　　低碳　　排放　　再生　　不屑一顾

1. 少开车、多步行，少吃肉、多吃素，都是_____的生活方式。

2. 目前全世界每年向大气中_____50多亿吨二氧化碳。

3. 汽车_____对城市空气造成了严重的污染。

4. 废报纸、废书可以_____，不要随便扔掉。

5. 太阳能、风能、地热能都是可以_____的能源。

6. 尽管别人对他的建议_____，但他还是坚持自己的看法。

课文二 垃圾与垃圾回收

课　文　57

　　提倡低碳环保，最重要的是把它变成一种行为习惯、一种生活方式。它可以具体到我们日常生活的方方面面，垃圾回收就是其中之一。来看看下面这两位在这方面的建议：

　　★ 有人统计过，每人每年丢掉的垃圾一般超过人体平均重量的五六倍。各城市目前垃圾的产生量大约是十年前的几倍，乃至十几倍。其中很大一部分是过度包装造成的。不少商品，特别是化妆品、保健品的包装费用大约已占到成本的 30% ~ 50%。过度包装不仅造成了巨大的浪费，也加重了消费者的经济负担，同时还增加了垃圾量，污染了环境。我是一个已过花甲②之年的退休教师，每天要吃一定量的药品。有的药很好，塑料瓶或玻璃瓶装 100 粒，吃完了瓶子可以回收。而同样是 100 粒，有的是大盒套小盒，每一小盒内只装三五粒。这种过度包装不单在药品中常见，在营养品中更是屡见不鲜，常常是里三层外三层。建议有关部门专门审查包装是否符合卫生和环保标准，不符合就必须整改、换包装。

　　★ 有一次，看见一位日本同学扔饮料瓶。饮料瓶要扔在专用的分类袋子

里，这是我所知道的；但我不知道的是，在扔之前，先要剥掉它外面那层彩色塑料，拿下它的瓶盖，然后才能把透明的瓶身投到专用袋里。也就是说，这三样东西需要被回收到不同袋子里，有不同的回收用途。看着这位同学熟练地做着这一切，我猜想他早已经习惯这么做，就好像穿鞋子

――――――――――――――

② 花甲（huājiǎ）：中国古代的一种说法，指人六十岁。

要系鞋带一样自然。

也许你会说这未免太麻烦了，但是就是这一点一滴为每个人带来了好处。日本的生活用品价格一般要比我们国内贵出几倍，但是纸巾之类的日用纸品却和国内价格接近，想必就有资源回收的功劳。纸巾的包装上常常会有这样的广告语：放心使用吧，这是回收的牛奶纸盒做的，不是森林里的大树做的。此外，在昂贵的日本，每个电车或地铁车站都设有免费公厕，并且里面还提供免费厕纸，而厕纸包装也经常会印着一行小字：这是用回收的电车车票做的。这样前后呼应着，就让人觉得很麻烦的垃圾分类确实是很有意义的一件事情。

生 词　58

1.	过度	guòdù	（形）	超过适当的限度。~~transition, interim~~
2.	保健	bǎojiàn	（动）	保护健康。health protection, health care
3.	加重	jiāzhòng	（动）	增加重量。make or become more serious, aggravate
4.	屡见不鲜	lǚ jiàn bù xiān	（成）	见过多次，不觉得新鲜。common occurrence, nothing new
5.	想必	xiǎngbì	（副）	表示偏于肯定的推断。presumably, most likely
6.	功劳	gōngláo	（名）	作出的贡献，起到的作用。contribution
7.	昂贵	ángguì	（形）	（价格）很高。expensive, costly
8.	呼应	hūyìng	（动）	一个呼喊，一个应答，指互相联系或照应。echo, work in concert w/

边学边练

想必　　过度　　加重　　里三层外三层　　屡见不鲜

1. 说到这种风俗，_____大家都知道它的来历。

2. 类似的报道在各种媒体中大量涌现，早已_____。

3. 别太谦虚了，_____谦虚就显得不真诚了。

4. 每天早上大家涌向城市中心上班，这_____了公共交通的负担。

5. 他刚刚来到会场，就被记者_____地围在中间。

课文三　你愿意为地球选择低碳素食吗

课文 59

　　吃肉是一件非常不经济、不道德的事情，而且会对自然环境造成严重污染。不吃肉，不仅会带来一个更清洁的环境，还会带来更健康的身体。

　　据联合国粮农组织[3]调查，全球近20%的温室气体源于肉类生产，这比全世界所有交通工具的总排放量还要多。一头牛每年排放的二氧化碳量超过了一辆小汽车，而且，饲养它们也要消耗大量的食物和能源。12磅的麦子[4]可以做出12条面包，供一个人吃一个星期，可是用来喂牛，却只能产出一磅牛肉。每吃掉1千克牛肉，就等于吃掉了133千克的土豆和4万公升水。产出和运输一千克肉所消耗的能量，可以让一个100瓦的电灯连续亮3个星期。

　　而吃一天素食等于种100棵树。实际上，用植物蛋白[5]取代动物蛋白，我们并没有失去什么，反而带来巨大的利益。不光消除无数动物的痛苦，免除因肉食带来的种种疾病，还可以在很大程度上缓解世界能源危机、粮食危机、环境污染和全球变暖问题。

　　为了保护地球，保护生存环境，从今天开始低碳素食吧！

生　词 60

1.	素食	sùshí	（名、动）	素的饭食或点心；吃蔬菜、瓜果及其制作成的食物，而不吃肉食。
2.	温室气体	wēnshì qìtǐ		大气中具有温室效应的气体，如二氧化碳（CO_2）、甲烷（CH_4）、氧化亚氮（N_2O）等。这些气体含量增加会使地表和大气下层温度增加。

---

[3] 联合国粮农组织（liánhéguó liáng nóng zǔzhī）：联合国下属主管粮食和农业的组织。（Food and Agriculture Organization of the United Nations）

[4] 麦子（màizi）：一种植物，种子可用来磨面粉、制糖或酿酒。（wheat, barley）

[5] 蛋白（dànbái）：一种有机化合物，是构成生物体的最重要部分，生命的基础。（protein）

3.	二氧化碳	èryǎnghuàtàn	（名）	一种无机化合物，化学为 CO_2。
4.	饲养	sìyǎng	（动）	喂养（动物）。
5.	取代	qǔdài	（动）	排除别人或别的事物而占有其位置。
6.	免除	miǎnchú	（动）	免去，除掉。

边学边练

不光　　取代　　等于　　二氧化碳

1. 这样做_____损害了你个人的利益，也损害了大家的利益。

2. 在这个公式里输入自己乘飞机飞行的公里数或者用电的度数，就可以直接计算出你的_____排放量。

3. 几年以前中国就_____日本成为了第二大汽车市场。

4. 别小看空调的使用时间，少开一小时空调就_____减少了 0.6 千克碳排放。

课堂活动与任务

一、模仿例子说出更多的词语。

1. 节能型：_____　　_____　　_____

2. 太阳能：_____　　_____　　_____

3. 化妆品：_____　　_____　　_____

4. 低碳：_____　　_____　　_____

二、选择词语，灵活运用。

素食	想必	不光	取代	一点一滴
加重	猜想	昂贵	与此同时	里三层外三层

1. 你一直都在关注海洋环境，_____你已经注意到这一地区海水污染的问题。

2. 这项运动＿＿＿＿＿＿＿＿＿＿可以减重，还可以帮你塑造完美的身材。

3. 我们创造了国内生产总值连年增长的奇迹，但＿＿＿＿＿＿＿＿＿，在社会、环境方面也付出了巨大的代价。

4. 对他这个初到北方的人来说，虽说已经＿＿＿＿＿＿＿＿＿了，可还是觉得寒冷无比。

5. 我＿＿＿＿＿＿＿＿＿大家对"低碳"这一说法并不陌生。

6. 人的知识是＿＿＿＿＿＿＿＿＿积累起来的。

7. 交通部门最近出台新政策，＿＿＿＿＿＿＿＿＿对超速驾驶和酒后驾车的处罚。

8. 这款手机售价达到了六位数，成为本季度＿＿＿＿＿＿＿＿＿。

9. ＿＿＿＿＿＿＿＿＿所浪费的资源只有肉食者的 1/20 ，如果大家都吃素，我们就能快速有效地改善全球变暖问题。

10. 我认为新能源是不可能＿＿＿＿＿＿＿＿＿，石油在 21 世纪仍然是主要能源。

三、参考所给词语，根据课文内容说一说。

1. 根据课文一，有哪些观念正在改变？

（与此同时　符合　也许　不屑一顾　低碳）

2. 完成课文一中的题目，为你的环保意识打分。

（电源　节能　太阳能　印刷品　再生　节水　低碳　一点一滴）

3. 课文二中，那位退休教师提出了什么值得注意的问题？

（特别是　不仅……还……，同时也……　加重　不单……更……　屡见不鲜　里三层外三层）

4. 根据课文二，怎么做会让人觉得垃圾分类是一件有意义的事？

（不仅……还……　猜想　未免　想必　昂贵　回收　前后呼应）

5. 根据课文三，为什么说素食是低碳的生活方式？

（不仅……还……　排放　等于　取代　不光……还……）

四、举一反三。

1. 一次性用品给人们带来了方便，但与此同时也增加了垃圾的<u>排放</u>。

（1）他在外地找到了一份理想的工作，父母为他高兴，但_____。

（2）_____，与此同时也对我们提出了更高的要求。

（3）_____。

2. 过度包装不仅造成了巨大的<u>浪费</u>，也<u>加重</u>了消费者的经济负担，同时还增加了垃圾量，污染了环境。

（1）这不仅是一种传统，_____，_____。

（2）_____，_____，同时还起到了宣传的作用。

（3）_____。

3. 这种过度包装不单在药品中常见，在营养品中更是屡见不鲜。

（1）选择商品时不单要考虑价格因素，_____。

（2）_____，更想借此机会获得一些工作经验。

（3）_____。

4. 这里纸巾之类的日用纸品价格非常便宜，想必就有资源回收的功劳。

（1）他能到这家企业工作，而且薪水丰厚，_____。

（2）_____，想必一定会受到大家的青睐。

（3）_____。

5. 不光消除无数动物的痛苦，免除因肉食带来的种种疾病，还可以在很大程度上缓解世界能源危机和环境污染。

（1）我们不光对大学生的工作意向进行了调查，_____。

（2）_____，也会对我们的身体造成危害。

（3）_____。

五、交际策略——用递进关系复句说明看法

"不仅……，也……，同时还……""不单……，……更……"都是递进关系复句。前一分句说出一层意思，后一分句对前一分句的意思加以补充，并且推进了一步，说出更深一层的意思。"不单……，……更……"中，有更强调后一分句的意思。这样的递进复句常用在发表观点时的开头或结尾，强调说明个人的看法。类似的递进复句还有"不仅 / 不但 / 不单 / 不光……，而且 / 并且 / 也 / 还 / 更 / 甚至……"等。

1. 过度包装不仅造成了巨大的浪费，也加重了消费者的经济负担，同时还增加了垃圾量，污染了环境。

2. 这种过度包装不单在药品中常见，在营养品中更是屡见不鲜。

3. 不吃肉，不仅会带来一个更清洁的环境，还会带来更健康的身体。

4. 不光消除无数动物的痛苦，免除因肉食带来的种种疾病，还可以在很大程度上缓解世界能源危机。

试着使用上述方法说说对下列话题的看法。

1. 过度包装

2. 肉食主义者和素食主义者

3. 走路还是开车

4. 夏天空调调高一度

5. 大学生毕业后自己创业

6. 代驾服务

六、表达训练——估计

读一读，想一想：

◇ 面对诸多问题，也许你能理解，但是你采取过什么行动呢？

◇ 化妆品、保健品的包装费用大约已占到成本的 30% ~ 50%。

◇ 我猜想他早已经习惯了，就好像穿鞋子要系鞋带一样自然。

◇ 这些价格却和国内接近，想必就有资源回收的功劳。

你认为上面这几句话表达了什么意思？什么时候会使用这种表达方式？

小贴士

"也许""大约""猜想""想必"都可以表达估计的意思，除此之外，还可以用"看样子""看起来""听口气""说不定""可能""大概"等。

试一试，说一说：

1. 你认识了一个新朋友，你好像从来没有见他吃过肉。

2. 约好 9 点见面，可是他 9:30 还没到。

3. 面试时太紧张，考官的几个问题都不知道怎么应对。

4. 近几个月这座城市的机动车数量明显增加，空气质量也明显下降。

5. 当问他的意见时，他想了半天后说："如果你们坚持，可以试试。"

七、阅读下面的短文，用指定句式谈谈自己的想法。

一家旅馆的浴室里有这样一个牌子：

您知道全世界的旅馆每天要洗多少条原本可以不洗的毛巾吗？您知道洗这些毛巾又造成怎样的水污染吗？——为了保护环境，请您协助：需要更换的毛巾，请放在浴缸内或淋浴处；继续使用的毛巾，请放在毛巾架上。谢谢您的支持！

参考句式：

1. ……，与此同时……

2. 不仅……，也……，同时还……

3. 不单……，……更……

4. 从……来讲，……

5. 也许有人会说，……

6. ……是……，但是……

八、完成任务。

1. 上网查一查计算碳排放量的公式，算一算你的碳排放量。

2. 调查：你愿意为地球选择低碳素食吗？

愿意的人数	愿意的理由
不愿意的人数	不愿意的理由

九、小组讨论。

1. 你了解哪些低碳环保措施？

2. 为了环保，可能会造成成本提高，售价随之提高，你愿意接受提高了的价格吗？

3. 为了减少能源浪费和大气污染，你愿意放弃买车吗？

4. 有人认为无论生态环境恶化到什么程度，最终都能依靠科学解决。你怎么看？

5. 发达国家是否应该为它们在工业化进程中造成的大气环境污染"买单"？

内容链接一

地球一小时

"地球一小时"（Earth Hour）是世界自然基金会（WWF）应对全球气候变化所提出的一项倡议，希望个人、社区、企业和政府在每年3月最后一个星期六20:30～21:30熄灯一小时，来表明他们对应对气候变化行动的支持。过量二氧化碳排放导致的气候变化目前已经极大地威胁到地球上人类的生存。公众只有改变全球民众对于二氧化碳排放的态度，才能减轻这一威胁对世界造成的影响。

"地球一小时"活动首次于2007年3月31日20:30在澳大利亚悉尼展开。当晚，悉尼约有超过220万户的家庭和企业关闭灯源和电器一小时。事后统计，熄灯一小时节省下来的电足够20万台电视机用1小时，5万辆车跑1小时。"地球一小时"就是为了让全球民众了解到气候变化所带来的威胁，并让他们意识到个人及企业的一个小小的举动将会给他们所居住的环境带来怎样深刻的影响。

内容链接二

低碳生活

"低碳生活"并不是让大家回归原始的生活，而是提倡合理适度地使用能源，有意识地节约能源，减少不必要的浪费。其实许多节能的做法只是一个习惯而已，比如，不再使用"一次性"用品；减少塑料袋的使用；平时用完电脑后要正常关机，应拔下电源插头或关闭电源接线板上的开关，不要让它处于通电状态；减少电器待机时间；电视机屏幕不要太亮，调成中等亮度既能省电又能保护视力；选择节能空调，温度不要开得太高或者太低；使用双键马桶，尽量按"少量"键；购买小型汽车、小排量汽车；每周少开一两天汽车，多步行或骑自行车，乘坐轻轨或者地铁；尽量不坐或少坐电梯；不购买远程运输来的食品；提倡购买本季节的水果和蔬菜，少食用反季节果蔬……其实，在生活中做到这些并不难，当每个人都把这些当做一种习惯时，这个世界的碳排放量自然就降低了。

我的收获

◎ 重点词语

◎ 表达方式

◎ 精彩观点

◎ 文化差异

◎ 其他方面

11 带什么去旅行

表达方式

1 A 远没有 / 远比 B……

1. 旅行时，你需要的东西远没有你想象的那么多。

2. 肉食者消耗的能量和他们的碳排放量远比素食者高得多。

3. 如果路程不是很长，骑车上下班远比开车更方便、更省时。

2 就算 / 即便……，也……

1. 就算你非要在正式的场合露面，你也可以临时在当地添置一双新鞋。

2. 这个时候，即便让最好的队员上场，恐怕也不能改变比赛结果了。

3. 这好像是个让人头疼的问题，就算是让高手来解决，他们也要花不少工夫。

3 与其……，不如……

1. 这个时候，与其发脾气抱怨，不如安下心来。

2. 与其让他们听你讲解，不如让他们自己动手试一试。

3. 对于残疾人，与其让企业家为他们捐钱，不如让企业为他们提供一些就业机会。

4 宁可 / 宁愿……，也（要 / 得 / 会）……

1. 我宁可少带一件外衣，也要带上我的枕头去旅行。

2. 他宁愿放弃现在的经理职位，从普通职员做起，也要到那家公司去。

3. 宁可成本高一些，我们也得使用这种环保的材料。

5 宁可／宁愿……，（也）不（想／要／能／愿）……

1. 有时候宁可小小地牺牲一下肠胃，也不要把一日三餐都交给高档宾馆。

2. 有些年轻人宁可没有工作待在家里，也不愿去做导购或服务员，他们觉得太辛苦，薪水又低。

3. 他宁愿自己多花上几个小时，甚至几天的时间去解决，也不去麻烦别人。

6 要是……就不至于……

1. 要是当初按原计划走，估计就不至于落到如此地步了。

2. 要是早安排好了住宿，就不至于现在这样到处乱跑找旅馆了。

3. 要是多听听别人的建议，就不至于现在这样了。

课文一　远没你想象的那么多

课　文　61

请先回想一下你最近一次远途旅行，出发的时候，你的行李箱里装了多少东西？接着，再回忆一下旅行结束后，你回到家中打开行李箱，却发现自己携带了多少自始至终都没用过的物品？也许有一本你原本想在旅行途中阅读、却从未翻开的书，也许有你特地为这次旅行添置的、却从未拿出来的衣服和鞋子，甚至还有没吃过的零食。也许你和我一样，此时此刻脑子里会闪出这样的想法："真不该带这么多的东西，下次旅行我一定得少带点儿。"

那么现在，就请设想一下，你即将出国旅行数周，你又将为这样的一次旅行准备怎

样的行李呢？如果是我，我会给自己列出一个清单，<u>包括</u>"必带物品"和"可选物品"两大部分。根据我多年的旅行经验，我想特别提醒你，旅行时，你需要的东西远没有你想象的那么多。

为行李减重或增加行李空间最简单的一个方法就是在旅行时只带一双鞋。我在最初旅行时，曾经为带上两双鞋找了许多理由，比如可能会蹚水过河，弄湿鞋后需要换一双；又比如在旅途中受<u>邀</u>参加宴会或者去一些正式场合，需要穿体面的鞋子。可几次之后，我就后悔了，实际经验让我最终意识到自己真的无需多带一双鞋，就算你非要在正式的场合露面，你也可以临时在当地添置一双新鞋。

那么现在再重新考虑一下，你的行李中哪些物品是大可不必带在身边的？

（选自《长途旅行装备指南》）

生 词 62

1.	原本	yuánběn	（副）	原来，本来。
2.	从未	cóngwèi	（副）	从来没有。
3.	添置	tiānzhì	（动）	在原有的基础上再购买置备。
4.	闪	shǎn	（动）	突然出现。
5.	设想	shèxiǎng	（动）	假设、想象。
6.	清单	qīngdān	（名）	详细登记有关项目的单子。
7.	蹚	tāng	（动）	从浅水里走过去。
8.	就算	jiùsuàn	（连）	即使。

边学边练

清单　　添置　　露面　　原本　　自始至终

1. 搬到新公寓后，他需要 <u>添置</u> 一些家具。

2. 每个周末去采购前，我都要列一个购物 <u>清单</u> ，免得忘了买什么。

3. 自从他离开娱乐圈后，很少在电视上 露面 。

4. 这次活动的组织和安排， 自始至终 都是由他负责的。

5. 有了这条高速公路后， 原本 十几个小时的路程只需三四个钟头就到了。

课文二　旅行必备

课　文 63

　　旅行中遇到不如意是必然的，比如误了火车，航班晚点。这个时候，与其发脾气抱怨，不如安下心来。情况既然发生了，那就安心等待，没有心情的旅行，是徒劳和痛苦的。

　　除了安心等待，有些随身物品，看起来虽然无关紧要，但如果带上它们，却能够让你的旅行生活处处充满快乐的记忆。

　　★ 眼罩：我喜欢在旅行中备一只眼罩。我是那种一到了飞机或者车上就能睡着的人，所以我很看重我的眼罩，一罩之下，昏天黑地，去哪儿都行。

　　★ 旅行指南：对于一个喜欢旅行而又乐此不疲的人来讲，旅行指南是不可缺少的法宝之一。特别是本国人写的，而且出版又没有超过两三年的那种，往往有你最需要而且是最有价值的信息。此外带上一张很详细的地图也很重要。

　　★ 书：旅行中带上轻松的书可以让旅途变得很充实。我通常会带流行社会学或者大众文化学的书，本身讲的就是对生活的观察与研究，可以活学活用。

　　★ 枕头：在旅途中休息，可以是木板床，可以是一般的被子、毯子，但一定要有很柔软很舒服的枕头，也许你不相信，我偶尔会宁愿少带一件外衣，也要带上我的枕头去旅行。

　　★ 旅伴：当然旅行最好是与好朋友一起，那是增进感情的好机会。与一些很会玩的朋友一起同行，总是精彩不断。即便是临时和陌生人同行，也常常会有意想不到的惊喜。

★ 主动的嘴巴：旅行的路上需要热情与主动，这可以帮你在旅途中认识更多的朋友，也可以一起玩出很多有意思的游戏。轻松自然地与周围的驴友①们打个招呼、聊个小天，不但可以获得让你意外的旅行知识，甚至还会在不如意时得到意外的帮助。

我们很多人习惯了非旅行生活，工作、食堂、剧院、咖啡厅、书房甚至自己上网的宽带位置都在固定的地方。有人说，他的生活环境简单到闭着眼睛都能识别，那就试着多旅行吧。旅行中的所有这些，往往需要我们去了解、发现与重新安排，锻炼出更好的应变能力和情商②。

还有一点，要说到出行目的地的美食品尝，我的经验是，一定要去招牌上写着本地土菜、农家菜或者私家小菜的地方吃饭。那里不只有本地的代表菜品，你还能和地道的本地人聊天，了解本地情况。有时候宁可小小地牺牲一下肠胃，也不要把一日三餐都交给高档宾馆。尽量品尝点怪异的、从没吃过也不大可能再吃到的本地土菜，这样才不会有遗憾。

（选自袁岳博客）

生 词	64		
1. 如意	rúyì	（动）	符合心意。
2. 徒劳	túláo	（动）	无意义地耗费力气，没有起到任何作用。
3. 随身	suíshēn	（形）	带在身上或跟在身旁的。
4. 眼罩	yǎnzhào	（名）	戴在眼睛上起到遮蔽或保护作用的东西。
5. 昏天黑地	hūn tiān hēi dì	（成）	形容天色昏暗；也形容视线模糊或神志不清。
6. 指南	zhǐnán	（名）	为人们提供指导性资料或情况的东西。
7. 乐此不疲	lè cǐ bù pí	（成）	因喜欢做某事而不觉得厌烦、疲倦。形容对某事特别爱好。

8.	法宝	fǎbǎo	（名）	比喻用起来特别有效的工具、方法或经验。
9.	旅伴	lǚbàn	（名）	旅途中的同伴。
10.	即便	jíbiàn	（连）	即使。
11.	识别	shíbié	（动）	辨别、辨认。
12.	应变	yìngbiàn	（动）	应付突然发生的事情。
13.	肠胃	chángwèi	（名）	肠和胃，指人的消化系统。
14.	怪异	guàiyì	（形）	奇特，与众不同。

边学边练

随身　应变　指南　意外　发脾气　一日三餐

1. 他动不动就 **发脾气** ，大家都有点儿怕他。
2. 乘客下车时，他常常提醒他们带好 **随身** 物品。
3. 为了让大家更好地使用这台机器，他们专门准备了一份操作 **指南** 。
4. 他不会做饭， **一日三餐** 不是在食堂就是在饭馆。
5. 我事先提醒过你，你不听。现在出现这种结果，我一点儿也不 **意外** 。
6. 他的 **应变** 能力很强，总是能迅速作出反应，找到解决问题的办法。

课文三　郁闷之旅

课文　65

几经考虑，我最后决定把原定计划中的行程提前三周，为的是避开旅游高峰，免得到哪里都是人满为患。期待已久的这次美国之行终于开始了，不曾想却成了一次"郁闷之旅"。

长途飞行之后，我终于第一次踏上了美洲大陆，没想到，我的"霉运[3]"似乎也从此开始了。行李传送带转了无数圈之后，却无论如何不见我的那一

---

③霉运（méiyùn）：倒霉的运气，不好的运气。

件。于是赶紧到行李查询处询问，凭着有限的英语终于把手续办完了，被告知要等第二天下午下一航班到达才有希望见到我的行李。没有任何换洗衣物，第二天整整一上午只能守在酒店里，下午行李终于到了，可是这一天的行程也泡汤了。

原计划第三天傍晚要乘飞机前往另一个城市，还没玩尽兴就匆匆赶到机场，却发现我们的航班取消了，好不容易才把我们排进了三个小时之后的一班。三个小时，再回市区游览吧，时间会比较紧张，路上往返还要耽误时间；就在机场干等吧，又显得太长，好几个小时实在不好打发。无奈，只好把心安下来，耐心等吧。谁知好不容易把几个小时熬过去了，机场广播又"遗憾地通知"我们，航班晚点一个小时。唉，早知还有这一个小时，我就去市区逛逛夜景了，何必把机场当成景点一样看了又看呢。

终于上了飞机，已是疲惫不堪④，想着一觉睡到目的地，谁知刚刚摆好姿势，后座的宝宝就开始哭闹，还不停地踢着我的座椅靠背。孩子的妈妈满脸不好意思地表示歉意，说孩子病了，我无话可说，只能点头表示理解。前半程不停地打瞌睡，又不停地被吵醒或被踢醒，后半程干脆瞪着眼睛干坐着了。

······

赶上几十年不遇的暴雨、错过旅行社的班车、吃坏了肚子、丢了房卡，在美国的几天，"霉运"如影随形。唉，别提了，我的第一次美国之行啊！回国后朋友们告诉我，千不该万不该，不该改行程。是啊，要是当初按原计划走，估计就不至于落到如此地步了。

生　词　66

1.	郁闷	yùmèn	（形）	烦闷，不舒畅。
2.	几经	jǐjīng	（动）	经过多次。
3.	人满为患	rén mǎn wéi huàn	（成）	因为人多装不下而造成了困难。

---

④疲惫不堪（píbèi bùkān）：非常疲乏。

4.	整整	zhěngzhěng	（副）	达到一个整数的。whole, full
5.	泡汤	pàotāng	（动）	落空，没有达到目的或目标。fall flat, fall through (plans)
6.	尽兴	jìnxìng	（动）	兴趣得到充分满足。to one's heart's content
7.	匆匆	cōngcōng	（形）	急急忙忙的样子。hurriedly
8.	干	gān	（副）	徒然，不起作用，白白地。in vain, to no purpose
9.	打发	dǎfa	（动）	消磨、消耗（时间、日子）。dismiss, send away
10.	瞌睡	kēshuì	（动）	想睡觉，由于困倦进入睡眠或半睡眠状态。sleepy, drowsy
11.	如影随形	rú yǐng suí xíng	（成）	好像影子老跟着身体一样，比喻常常在一起，很少分开。closely associated with each other
12.	千不该，万不该	qiān bù gāi, wàn bù gāi		比喻再三表示不应该。really should not have (done sth.)

边学边练

郁闷　　泡汤　　尽兴　　打发　　人满为患

1. 临时被老板安排加班，周末打球的计划又 <u>泡汤</u> 了。

2. 朋友们都出去玩儿了，只有我一个人生病在家，太 <u>郁闷</u> 了。

3. 退休后，老人每天靠养花、钓鱼 <u>打发</u> 时间。

4. 这一地区西部几乎无人居住，东部却 <u>人满为患</u>。

5. 今天的晚会，大家玩儿得都很 <u>尽兴</u>。

课堂活动与任务

一、模仿例子说出更多的词语。

1. 远途： <u>长途</u>　　　　<u>短途</u>　　　　<u>小途</u>

2. 行李箱： _____　　　　_____　　　　_____

3. 清单： _____　　　　_____　　　　_____

4. 干等： <u>干说</u>　　　　<u>干喊</u>　　　　_____

二、选择词语，灵活运用。

凭	露面	整整	千不该，万不该	远……
干……	(打)瞌睡	落到……地步	几经	安心

lean on / lean against　*show one's face*　*far away*　*feel at ease, be relieved*　*media*　*condition*

1. 一年中这位影星只在媒体上 露过几次面 ，这让他的知名度有所下降。*descend, decline*

2. 为了准备下周的发言，我 整整写了几个小时 ，终于完成了讲稿。*draft*

3. 他 凭着 ，顺利通过了面试。*smooth, successful*

4. 有了这次外出经历，他再也 安不下心 ，他要离开这里，他要到更远的地方去看一看。

5. 几个人没什么好聊的，只好 干做着 。

6. 昨晚没睡好，今天上班 瞌睡 。

7. ，他才在一家公司找到一份薪水不错的工作。

8. 他原来生意一直做得很好，没想到 落到现在地步 。

9. 千不该 ， 万不该 浪费这么好的机会。

10. 登山、远足这类户外运动 远没有 想象的那么容易。

三、参考所给词语，根据课文内容说一说。

1. 根据课文一，人们外出旅行回来常为什么事情后悔？

（携带　自始至终　原本　特地　添置）

2. 根据课文一，应该怎样准备行李？如何为行李减重？

（清单　远没有　曾经　就算……也……　大可不必）

3. 根据课文二，旅行中遇到问题怎么办？

（如意　与其……不如……　脾气　安下心来　徒劳）

4. 根据课文二，举例说明旅行中应该带哪些物品。

（眼罩　旅行指南　宁愿……也要……　意外）

5. 课文二中，对旅行时的饮食有什么建议？

（品尝　宁可……也不……　怪异　遗憾）

6. 根据课文三，说一说作者遇到的行李问题。

（霉运　询问　凭着　换洗　泡汤）

7. 根据课文三，说一说作者乘飞机遇到的问题。

（尽兴　取消　干等　打发　早知……，就……了　打瞌睡　干坐着）

8. 根据课文三，说一说作者后悔什么。

（几经　避开　人满为患　不曾想　千不该，万不该　要是……就不至于……了）

四、举一反三。

1. 旅行时，你需要的东西远没有你想象的那么多。

（1）整个行程的费用 远没有 ＿＿＿＿＿＿＿＿＿＿。

（2）＿＿＿＿＿＿＿＿＿＿＿＿＿＿让人着迷。

（3）＿＿＿＿＿＿＿＿＿＿＿＿＿＿＿＿＿。

2. 就算你非要在正式的场合露面，你也可以临时在当地添置一双新鞋。

（1）就算我们不能彻底解决拥堵问题，也＿＿＿＿＿＿＿＿＿＿。

（2）就算你没去 ＿＿＿＿＿＿＿＿，你也可以积累一些面试经验。

（3）＿＿＿＿＿＿＿＿＿＿＿＿＿＿＿＿＿。

3. 这个时候，与其发脾气抱怨，不如安下心来。

（1）与其一个人承担高昂的房租，不如跟我的父母一起住。

（2）与其 ＿＿＿＿＿＿＿＿＿，不如找个过来人请教一下。

（3）＿＿＿＿＿＿＿＿＿＿＿＿＿＿＿＿＿。

4. 我宁可少带一件外衣，也要带上我的枕头去旅行。

（1）他宁可放慢速度，<u>也要</u>_____。

（2）_____，也要把垃圾分类处理。

（3）_____。

5. 有时候宁可小小地牺牲一下肠胃，也不要把一日三餐都交给高档宾馆。

（1）他宁可重新起草一份文件，<u>也不要用久的文件。</u>_____。

（2）_____，也不愿意蹚水过河。

（3）_____。

6. 要是当初按原计划走，估计就不至于落到如此地步了。

（1）要是少带一些东西，_____。

（2）_____，_____失去这个机会了。

（3）_____。

五、交际策略——用选择复句说明主张或选择

选择关系的复句可以用来说明主张或所作的选择。"与其……，不如……"表示两个选项中后一项较前一项更好、更值得选择，含有对两个选项进行比较、权衡后作出选择的意思；"宁可……，（也）不（想/要/能/愿）"则表示两个选项中前一项更值得选择，"宁可"引出的是经过权衡、比较后要选取的内容，"不"前常加"也"来加强语气；而"宁可……，也（要/得/会）……"中，"宁可"后面是作出的选择，"也"后面是选择的目的，为了表明实现目的的决心，"也"后面常用"要/得/会"这样的能愿动词。"宁愿""宁肯"也常代替"宁可"用在这种句式中。

1. 这个时候，与其发脾气抱怨，不如安下心来。

2. 有些年轻人宁可没有工作待在家里，也不愿去做导购或服务员。

3. 有时候宁可小小地牺牲一下肠胃，也不要把一日三餐都交给高档宾馆。

4. 我宁愿少带一件外衣，也要带上我的枕头去旅行。

5. 我们宁肯企业受一些损失，也得保障消费者的利益。

试着使用上述方式说明你对于下列问题的选择。

1. 做得慢，做得好　　*宁可做得小曼，也要做得好。*

一完委

2. 保护文物，投入大量人力物力

3. 去城市工作，留在农村当老师　*宁可A，也不B*

4. 接受新的任务压力大，接受挑战锻炼能力

六、表达训练——遗憾、后悔

读一读，想一想：

◇ 真不该带这么多的东西，下次旅行我一定得少带点儿。

◇ 几次之后，我就后悔了。

◇ 唉，早知还有这一个小时，我就去市区逛逛夜景了。

◇ 千不该万不该，不该改行程。

◇ 要是当初按原计划走，估计就不至于落到如此地步了。

你认为上面这几句话是在表明什么态度？要用什么语气说这几句话？

小贴士

→ regret

wi

表示遗憾和后悔，可以直接说"真遗憾，……""后悔……"，还可以使用"真不该……""千不该万不该，不该……"，表明后悔做了什么事情，也可以用"唉，早知……就A了""要是A就不至于……了"，A代表的是后悔没有做或应该做而没有做的事情。除此之外，"唉，别提了，……""早知这样，……""……，就好了"等也可以表明遗憾、后悔。

试一试，说一说：

1. 半路下雨却没有带雨伞。

2. 到达车站时火车刚刚离开。

3. 告诉朋友一件事后，朋友非常生气。

4. 不想多走几步去过桥，蹚水过河却摔倒在河里。

5. 把问题归咎于朋友，却发现自己错怪了他。

6. 有几个就业机会都放弃了，现在再想找那样的工作却已经没有机会了。

七、完成任务。

设想两个不同的旅游目的地，列出你将准备的行李，并适当说明理由。

目的地	行李清单	理由

八、小组讨论。

1. 你会带什么去旅行？

2. 最糟糕的一次旅行经历。

3. 旅行中遇到不如意时，你会怎么做？

4. 你认为旅行最大的乐趣是什么？

内容链接一

最恼人的旅行者

一家著名的在线旅游网站开展了一项调查，在"最恼人的旅行者"榜单上，美国人排名第一（18%），接下来分别是法国人（12%）和德国人（10%）。英国人、中国人、俄罗斯人、日本人、意大利人、印度人、阿联酋人也都榜上有名。

还有几乎三分之一的受访旅行者表示，最不能忍受的是在飞机上孩子踢他们的座椅靠背。被评为最恼人的十种旅客行为如下：

1. 孩子们踢你的座椅靠背（得票率 31%）

2. 粗鲁的前排乘客将座椅放斜（得票率 21%）

3. 大声地用手机谈话（得票率 16%）

4. 将行李放进上方行李舱时间太长（得票率 12%）

5. 在安全带灯熄灭前站起来（得票率 5%）

6. 霸占座椅的扶手位置（得票率 4%）

7. 在机上吃味道难闻的食物（得票率 4%）

8. 挡住电动人行走道（得票率 3%）

9. "背后偷窥者"在背后看你的杂志（得票率 1%）

10. 在机场的行李手推车前徘徊（得票率 1%）

内容链接二

沙发客

"沙发客"顾名思义是睡沙发的客人，也就是不花钱借宿的旅游者，是目前全球新兴的一种个性化自助游，或者说是互助游。自从"沙发客"出现后，人们发现，旅行不再是耗资巨大的奢侈消费，而是普通的工薪阶层与学生阶层也可以消费的出行体验。它不仅可以降低旅游成本，同时在热情好客的主人帮助下，你可以更好地体验当地的风土人情，主人甚至会带你游览风景名胜，遍尝当地美食。当然，在享受这些的同时，你也要把你家的"沙发"和一定的时间贡献出来作为其他沙发客去你那里旅游的交换。

通过与当地人的接触和交往，可以使旅游变得更理性化，可以获得更深度的拓展，对当地的人文、地理、历史等更多方面都有一些不同的认识，可以接触到社会各阶层不同的人，分享彼此的人生经历，可以了解到各式各样的行业资讯，享受到不同规格的接待。每到一处都会是十分难忘的经历。这些都会使旅游的意义远大于游山玩水、走马观花。除此之外，也可以消除单个旅游者在异乡的陌生感与孤独感。

（选自四川新闻网）

我的收获

◎ 重点词语

◎ 表达方式

◎ 精彩观点

◎ 文化差异

◎ 其他方面

是包袱还是财富

表达方式

1 ……显示 / 表明

1. 联合国人口司发表的最新人口预测报告显示，世界人口预计将很快增加到 70 亿。

2. 日本相关研究数据表明，现在日本每三个劳动力就需要供养一位老人。

3. 人口普查的资料显示，这个城市的流动人口已超过 800 万。

2 以……的速度 v.

1. 在发达国家，老龄人口每年平均以 1.9% 的速度递增。

2. 有数据显示，我国 60 岁以上的老年人口约占总人口的 12%，且每年以近 1000 万的速度增加。

3. 全世界的森林面积以每年约 1700 万顷的速度消失。

3 根据 / 据（……）估算 / 统计

1. 根据联合国的研究估算，到那时，60 岁以上的老年人口将达到 20 亿。

2. 根据官方统计，欧盟国家目前是 73% 的劳动力养活 27% 的退休者。

3. 据统计，该省老年人口为 1260 万，老龄化程度达到 17% 以上。

4 多少

1. 老年人已经离开工作岗位，可是还领那么多退休金，这多少会影响上班人的收入。

2. 这项措施虽不能彻底解决问题，但多少可以缓解一下交通的压力。

3. 读完这本书，我们多少能对那一段历史有所了解。

5 据（……）报道，……

1. 据媒体报道，澳大利亚银行前行长就曾公开评论，"我们花在昔日工人身上的钱太多，用于培训未来工人的钱却太少，如此分配实属错误。"

2. 据《每日新闻》报道，本市的机动车数量已经达到 500 万辆。

3. 据报道，人口老龄化这一最开始主要涉及发达国家的问题，如今在发展中国家也越来越突出。

课文一　人口老龄化状况

课　文　67

据联合国有关规定，一个国家 60 岁以上的人口超过 10%，或 65 岁以上的老年人在总人口中所占比例超过 7%，便被称为"老年型"国家。除少数非洲国家外，现在几乎所有国家的人口结构都在趋于老龄化。

联合国发表的最新人口预测报告显示，世界人口预计将很快增加到 70 亿，到 2050 年则会突破 90 亿。同时该报告也指出，全球人口正在迅速老龄化，60 岁以上人口增长速度最快，到 2050 年预计将增长到目前的 3 倍。在发达国家，老龄人口每年平均以 1.9% 的速度递增，预计到 2050 年将从目前的 2.64 亿增长到 4.16 亿。发展中国家的老龄人口年增长率则超过 3%，预计到 2050 年将从目前的 4.75 亿增长到 16 亿。也就是说，根据联合国的研究估算，到那时，60 岁以上的老年人口将达到 20 亿，每 5 人中将会有一个老年人。

老龄化状况不断加剧，主要是因为人口出生率逐年下降而平均寿命不断增加。于是各国政府采取了相应的鼓励生育、推迟退休年龄等政策和措施。因为人们已经充分意识到，人口老龄化会带来社会、经济、科学、文化等一系列问题。仅对经济发展的影响就涉及就业、劳动力资源、赡养等诸多方面。有人甚至担心，几十年后，公交车上都是白发老人，儿童乐园改成了老年活动中心，电视中一半以上是老年节目……那么，这些老年人，他们到底是包袱还是财富呢？

生 词 (68)

1.	预测	yùcè	（动）	预先推测或测定。 calculate, forecast
2.	递增	dìzēng	（动）	一次比一次增加。 increase, progressively
3.	估算	gūsuàn	（动）	大致计算。 estimate, appraise
4.	相应	xiāngyìng	（动）	相互呼应或照应；相适应。 ought to, should
5.	劳动力	láodònglì	（名）	人的劳动能力，有时指参加劳动的人。 labor (or work) force
6.	赡养	shànyǎng	（动）	特指子女对父母提供物质和生活上需要的东西。 support, provide for

边学边练

趋于　预测　预计　突破　递增　加剧　赡养

1. 赡养 父母是每个子女应尽的义务和责任。

2. 经过医生救治，他的病情已经 趋于 平稳，请大家放心。

3. 发展旅游业后，这一地区的游人逐年增加，平均每年 递增 50% 以上。

4. 据官方数据显示，截至去年年底，手机上网用户已经 突破 3亿。

5. 经济增长速度提高，但经济发展与生态保护的矛盾也在不断 加剧 。

6. 这座老年公寓 预计 年底建成，明年 4 月投入使用。

7. 多数球迷 预测 英国队或西班牙队将最终夺得冠军。

课文二　包袱论

课　文　69

① 谈到老龄化问题，不能不谈到养老问题。中国历来有敬老、爱老、养老的传统美德，而且从法律角度讲，赡养父母是子女应尽的义务。可是，随着人口老龄化现象加剧，特别是"四二一"式家庭①日益增多，子女赡养老人的负担越来越重。而且，即便儿女们想经常陪伴在父母身旁，但快节奏的生活、工作竞争的压力也让他们心有余而力不足。

② 人老了，身体健康状况自然会受到影响，各种病痛也就多了，这是自然规律。如果老人健康不佳，甚至久病而卧床不起，生活不能自理，会给子女带来不少压力和负担。如果老人的退休金微薄，经济拮据，那在这种情况下，老人对子女来说，确实是负担，是包袱。

③ 当今社会竞争激烈，年轻人就业压力已经很大。而为了应对老龄化问题，又提出要推迟退休年龄、开发老龄人才，如果退休的老人也纷纷出来再就业，那么势必会影响年轻人的就业机会。

④ 我对这样的说法持保留意见，大家想过没有，老人已经离开工作岗位，可是还领那么多退休金，这多少会影响上班人的收入，甚至可以说是占了上班人的便宜。据媒体报道，澳大利亚银行前行长就曾公开评论，"我们花在昔日工人身上的钱太多，用于培训未来工人的钱却太少，如此分配实属错误。"

⑤ 即便说是老年人自己的钱，可是老龄化自然会导致劳动人口减少，而领取养老金的群体会不断膨胀。日本相关研究数据表明，现在日本每三个劳动力就需要供养一位老人，而到 2050 年，预计那时日本的每位老人将只能由一个劳动力供养，这对在职的劳动力和政府来说，无疑是巨大的包袱和负担。

⑥ 根据官方统计，欧盟②国家目前是 73% 的劳动力养活 27% 的退休者，而

---

① "四二一"式家庭：指在中国实行一对夫妻只生一个孩子的人口政策情况下，由爷爷、奶奶、外公、外婆四个人，爸爸、妈妈两个人和一个独生子女构成的倒金字塔型家庭。
② 欧盟（Ōuméng）：欧洲联盟（European Union, EU）的简称。

到 2050 年时，将由 47% 的劳动力养活 53% 的 65 岁以上的退休者，这种状况会使欧盟国家的公共开支负担大大加重。

生　词　[70]

1.	历来	lìlái	（副）	从来，一向。*always, constantly*
2.	自理	zìlǐ	（动）	自己料理，自己照顾、处理。*stand on one's own feet*
3.	微薄	wēibó	（形）	数量少；微小单薄。
4.	拮据	jiéjū	（形）	缺钱，非常穷困。
5.	再就业	zàijiùyè	（动）	泛指下岗人员重新走上工作岗位。
6.	势必	shìbì	（副）	根据形势推测必然会怎样。
7.	占便宜	zhàn piányi		用不正当的方法，取得额外的利益。
8.	昔日	xīrì	（名）	往日，从前。
9.	膨胀	péngzhàng	（动）	物体的长度增加或体积增大，借指某些事物扩大或增长。
10.	养活	yǎnghuo	（动）	供给日常生活需要的物品或费用。
11.	开支	kāizhī	（名）	付出的费用。

边学边练

历来　再就业　势必　多少　养活　开支　占便宜　心有余而力不足

1. 无论是哪一种药品_____都会有点副作用。

2. 参观博物馆_____是英国中小学教育的一个重要环节。

3. 每个人都应该自己_____自己，不能依靠别人。

4. 和别人一起拼房合租可以节省一些_____。

5. 政府为解决失业人员和下岗职工的_____问题采取了很多措施。

6. 大规模的开发建设_____会给生态环境带来巨大的压力。

7. 紧张的工作占去了他们绝大部分时间，即便想照顾老人也显得_____。

8. 有些人就是利用人们爱_____的心理骗取钱财。

课文三 财富论

① 俗话说"家有一老，如有一宝"。一般老人都是在 60 岁左右退休，健康老人可以帮子女带孩子，接送孙子孙女上下学或幼儿园，照管家务，解除子女后顾之忧。这对子女来说是巨大的精神财富。而且老人消费少，开销省，多余的退休金还能贴补家用。怎么能说是包袱呢？

② 确实如有些人所说，人到老年体力就下降了，各种病痛也就多了。但是老年人有着年轻人无法与之相比的优势，那就是他们积累的经验、知识、智慧、才能，而且开发老龄人才资源主要是使用他们的智慧和才能，而非体力。即使从体力方面来看，也并非所有老年人都是体弱多病，因人不同，身体状况有很大的差别。

③ 很多人都想当然地认为老年人出来再就业就是与年轻人竞争，其实不然。发展经济的首要条件是提高劳动力的质量，拥有较多的技术工人和相关人才。在当前人才紧缺的情况下，开发利用老年人才资源有利于发展经济，而且老年人和年轻人的优势各不相同，与年轻人就业并不冲突。

④ 说老年人领退休金是占上班人的便宜，这一点我不敢苟同。退休金是老人年轻时劳动的积累，是自己的钱，完全不占用现在上班人的劳动价值。再说"老"是自然规律，每个人不可避免必定会步入老年阶段，你将来也会有这么一天。

⑤ 现在不是有不少"啃老族"吗？对他们来说，老人几乎成了"印钞机③""摇钱树④"，当然是"财富"了。

⑥ "老马识途""姜还是老的辣""老将出马，一个顶俩"……中国有很多俗语是用来形容老年人价值的。

---

③ 印钞机（yìnchāojī）：专门用来印制货币的机器。这里比喻可以带来钞票、钱财的人或事物。

④ 摇钱树（yáoqiánshù）：原指神话中的一种宝树，一摇晃就有许多钱掉下来，现指借以获得钱财的人或事物。

生词　72

1.	解除	jiěchú	（动）	去掉，消除。*come into contact with, get in touch with*
2.	后顾之忧	hòu gù zhī yōu	（成）	泛指来自后方或家里的忧患。*trouble back at home*
3.	开销	kāixiāo	（名）	支付的费用。*pay expenses*
4.	贴补	tiēbǔ	（动）	从经济上帮助或用积蓄弥补日常消费。*subsidize, help out (financially)*
5.	家用	jiāyòng	（名）	家庭中的生活费用。*family expenses*
6.	想当然	xiǎngdāngrán	（动）	凭想象推测，认为大概是这样或应该是这样。*take stu. for granted*
7.	苟同	gǒutóng *(negative)*	（动）	随便地同意。*agree w/out giving serious thought*
8.	老马识途	lǎo mǎ shí tú	（成）	比喻阅历多的人富有经验，熟悉情况，能起引导作用。*an old hand is a good guide*

边学边练

waste $, extravagant　*badly needed, in short supply*　*a ready source of money*

开销　　紧缺　　摇钱树　　后顾之忧　　体弱多病

1. 他平时有些大手大脚，每个月的生活 ___开销___ 都在万元以上。

2. 他小时候一直 ___体弱多病___，后来练习武术让他变得健康强壮。

3. 由于资金 ___紧缺___，我们的几个新投资项目不得不暂时下马。

4. 厂家建立了完善 *(perfect)* 的售后服务体系，解除了消费者的 ___后顾之忧___。

5. 这种小小的手工艺品经过重新包装，成了当地农民的 ___摇钱树___。

课堂活动与任务

一、模仿例子说出更多的词语。

1. 预测：___预计___　　___预算___　　_____

up per

2. 逐年：___逐日___　　___逐步___　　_____

awesome, mean

3. 平均寿命 *shouming*：_____　　_____　　_____

4. 再就业：_____　　_____　　_____

二、选择词语，灵活运用。

养活	趋于	义务	紧缺	估算
多少	历来	占（……）便宜	相应	逐……

1. 这首歌可以说是无人不晓，每个人 ~~多少可以~~ 唱上几句。

2. 经过多次讨论、协商，双方的意见 ~~趋于一致~~ 。

3. 对到北京旅游的人来说，长城 ~~历来是~~ 必游之地。

4. 不管跟谁交往，他都是宁肯自己吃亏，也不愿 ~~占别人的便宜~~ 。

5. 每一位公民都应该明白自己可以享受什么样的权利，应该 ~~履行什么样的义务~~

6. 随着新情况的出现，我们不得不对原有的计划 ~~做相应改变~~

7. ~~我加估算~~ ，这座老年公寓的建设大约需要 8 千万元。

8. 新型能源的开发利用可以大大缓解目前 ~~自然紧缺的~~ 。

9. 他的这点收入连他自己 ~~都养活不了~~ ，还怎么照顾家里的老人呢?

10. 我们会把大家的意见和建议 ~~逐步整理~~ ，并向有关部分反映，希望能尽快

解决。

三、参考所给词语，根据课文内容说一说。

1. 根据课文一，说说最新的人口预测情况。

（显示　突破　以……速度　增长率　根据……估算　预计）

2. 根据课文一，说说老龄化的原因和可能带来的问题。

（加剧　逐年　推迟　一系列　涉及　赡养）

3. 根据课文二，说说"包袱论"的理由。

（养老　心有余而力不足　自理　拮据　再就业　占便宜　表明
根据……统计　加重）

4.根据课文三，说说"财富论"的理由。

（后顾之忧　优势　人才紧缺　冲突　退休金　摇钱树　俗语）

四、举一反三。

→ draw, display, demonstrate

1.联合国人口司发表的最新人口预测报告显示，世界人口预计将很快增加到 70 亿。

（1）来自相关留学管理部门的数据显示，__每年_____。

（2）__交通_____，实行车辆尾号限行措施以来，交通拥堵情况有所缓解。

（3）_____。

2.在发达国家，老龄人口每年平均以 1.9% 的速度递增。

（1）在成年人吸烟率有所下降的同时，_____。

（2）由于城市化的影响，本地区的森林面积__以很高的速度快__。

（3）_____。

→ statistics

3.据官方统计，欧盟国家目前是 73% 的劳动力养活 27% 的退休者。

（1）据旅游管理局统计，_____。

（2）__据_____，本市的常住流动人口已达到 700 万。

（3）_____。

4.老人已经离开工作岗位，可是还领那么多退休金，这多少会影响上班人的收入。

（1）我们曾经对这个问题进行过调查，_____。

（2）_____，但要说了解可谈不上。 *→ understand / → out of the question*

（3）_____。

5.据媒体报道，澳大利亚银行前行长就曾公开评论，"我们花在昔日工人身上的钱太多，用于培训未来工人的钱却太少。"

（1）据早间新闻报道，_____。

（2）_____，这已是该频道第三次转播这类比赛。

（3）_____。

五、交际策略——用转述的内容对问题加以说明

在说明某一问题或观点时，为了更有说服力，常常引用或转述一些内容，如"……显示""……表明""据（……）统计/调查/介绍/报道/记载"等。类似的转述表达还有"据……说""据说/听说，……""据……的消息""有……介绍说"等，引用或转述的内容都是为了更好地说明事实或自己的观点。

1. 联合国人口司发表的最新人口预测报告显示，世界人口预计将很快增加到 70 亿。

2. 日本相关研究数据表明，现在日本每三个劳动力就需要供养一位老人。

3. 据官方统计，欧盟国家目前是 73% 的劳动力养活 27% 的退休者。

4. 据媒体报道，澳大利亚银行前行长就曾公开评论，"我们花在昔日工人身上的钱太多，用于培训未来工人的钱却太少。"

5. 据说，中药对这种病的疗效更好一些，不妨试一试。

6. 据有关资料记载，早在几十年前两国的民间交往就十分活跃。

试着使用上述方法对下列问题加以说明。

1. 你们国家的人口现状

2. 你们国家和中国的建交史

3. 某一国家或地区的手机用户数量

4. 最好的减轻压力的方式

5. 最近的一条新闻

6. 关于《论语》

六、表达训练—— 反对

读一读，想一想：

◇ 我不同意/不赞成/不接受……的说法/观点。

◇ 我对你的说法持保留意见，……

◇ 有人认为……，其实不然，……

◇ 也许有人会说……，但是我认为……

◇ 对这一点我不敢苟同，……

◇ 对此我有不同看法，我认为……

◇ 话不能这么说，……

◇ 这样的说法有问题，……

你认为上面这几句话是在表明什么态度？要用什么语气说这几句话？

小贴士

在讨论特别是辩论时，如果反对、不赞成某一观点，可以使用这些句子开门见山地表明态度。

试一试，说一说：

1. 大学应该培养学生的工作技能而不是只传授理论知识。

2. 上大学期间去打工是一个好主意。

3. 在网上看电影应该免费。

4. 应当限制名人、明星做广告。

5. 只有在大城市工作才有更好的发展空间。

七、完成任务。

老人到底是包袱还是财富？为"包袱论"和"财富论"找出不同理由。

包袱论	财富论

八、小组讨论。

1. 你认为人口老龄化的原因是什么？

2. 老年人再就业与年轻人就业有矛盾吗？

3. 你们国家的老人是如何看待养老问题的？

4. 你会为父母或为自己选择哪种养老模式？

内容链接一

城市化带来低生育率

正如一位人口学家所言，"在城市里，孩子意味着昂贵的责任，而不再是耕田放牧时的助手。"而这种责任的昂贵，通常又体现于教育投资。有人说，"将来要一个孩子就足够了，因为我要尽我所能给他／她最好的教育"，也有人表示，"如果我不发财，我可能就不会要孩子，因为太贵。别忘了，美国常青藤大学每年的学费就要五六万美元。"同样因为城市化，越来越多的女性得以获得更好的教育和更多的就业机会。当她们必须在工作和生育之间进行取舍时，减少、推迟甚至抛弃后者成了很多人的最终选择。

需要提醒的是，保持人口规模不变的世代更替水平是每个妇女生育 2.1 个孩子——"2"来接替父母的位置，"0.1"去填补不孕夫妇留下的空缺。如果目前全球生育率下降的趋势和速度不发生重大变化，那么当 2050 年到来时，全球妇女人均生育孩子的数量将下降到 2.0。在总和生育率仅为 1.25 的日本，有濒于绝望的人口学家甚至预测，保持这个数字意味着 2959 年的某天将是最后一个日本人的生日。

（选自《小康》）

内容链接二

养老模式

家庭养老、居家养老和机构养老是西方发达国家的主要养老模式。除此之外，还有其他一些模式：

以房养老：是指将自己的产权房出售、抵押或者出租出去，以获取一定数额养老金或养老服务的养老模式。它通过一定的金融机制或非金融机制，将房产所含的价值提前变现，从而为老年人提供养老资金来源。

旅游养老：国外很多老人退休后，喜欢到各地去欣赏秀美景色，体会不同的风土民情，从而在旅游过程中实现了养老。旅游机构也乐于为老年人服务，并通过与各地的养老机构合作，为老年人提供医、食、住、行、玩等一系列周到服务，使老人免除游玩中的后顾之忧。

　　候鸟式养老：是指老年人像候鸟一样随着季节和时令的变化而变换生活地点的养老方式。这种养老方式总能使老年人享受到最好的气候条件和最优美的生活环境。美国的佛罗里达，日本的福冈、北海道，韩国的济洲岛，都是老年人相对集中的"迁徙"目的地。

　　异地养老：是按照比较优势原理，利用移入地和移出地不同地区的房价、生活费用标准等的差异或利用环境、气候等条件的差别，以移居并适度集中的方式养老。如美国就建立了大量的"退休新镇""退休新村"，吸引老人移居养老。

（选自《北京日报》）

我的收获

◎ 重点词语

◎ 表达方式

◎ 精彩观点

◎ 文化差异

◎ 其他方面

你会AA制吗

表达方式

1 争着抢着……

1. 只要跟朋友在一起就争着抢着去付账。

2. 新闻发布会上，记者们争着抢着向发言人提问。

3. 这一款手机刚一上市，喜欢时尚的年轻人就争着抢着购买。

2 （如果）……还好说/还好办，而（要是）……，就……

1. 欠钱还好说，而欠了朋友的人情账，你就得加倍偿还。

2. 如果只是一两个竞争对手还好说，而要是所有的厂家都参与进来，我们就无能为力了。

3. 资金不够还好办，而没有一个很好的团队，那就只好放弃这个项目了。

3 如果……（会）……，而如果……（又会）……

1. 如果是自己花得比朋友少就会觉得自己没有面子；而如果自己花得比朋友多，又会觉得有点吃亏。这样你来我往，让人感觉太累了。

2. 如果你找不到问题的核心，你将事倍功半；而如果你能找到解决问题的关键，那么你就会事半功倍。

3. 如果我替母亲说话，老婆会生气；如果我向着老婆，老妈又会伤心，真是左右为难啊。

4 要是……还好，倘若……，（那）……

1. 要是偶尔为之还好，倘若隔三差五就来一次，那可真吃不消。

2. 要是我们能够同去还好，倘若只让我一个人去见他，我可不敢。

3. 要是能尽快解决这个问题还好，倘若一周之内还不能找到解决方案，我们的损失就大了。

5 心里有数 / 没数

1. 其实大家心里都有数，这次吃你的，下次就该我的了。

2. 项目的进展情况不用随时向领导汇报，但你自己要心里有数。

3. 他不善理财，自己每个月花多少钱心里都没数。

课文一　目瞪口呆与司空见惯

课　文　　　73

几年前，在美国我曾与一个家庭生活过一段时间，而且相处得非常和睦。有一次，我和房东全家出去吃饭。就座后，大家各自点了自己喜欢的食物，开心地边吃边聊，气氛十分融洽。饭后结账时，令我十分不解的一幕发生了。因为房东事先说明是请我，所以她替我付了我的那一份，然后，在付了她的那一份并留下足够的小费之后，就起身去了洗手间。这时，她的儿子则毫无疑义地为自己的那一家人付了该付的另一部分。当时的我只能用"目瞪口呆"来描述，张着的嘴半天没合上。这在我们中国是绝对不可能出现的！回家的路上，我问房东，既然家人关系如此融洽，又是很长时间没有一起出来聚餐了，为什么还要各付各的帐呢？她对我说："这在我们美国是司空见惯的事。如果各付各的账，我们相聚的机会远比我每次都为所有人付账要多得多。"这句话，至今我都铭记在心。

这些年在国内，AA制已不是什么新鲜事，在年轻人，特别是学生、网友和同事间比较流行。甚至我和一些老朋友聚会时，有几次我想请客都遭到大家的批评，他们说我落伍了，还告诉我，"这年头朋友吃饭没有请客的了，都是自己付自己的。"更有甚者，还听说有少数夫妻也是家庭经济AA制，我又一次目瞪口呆了。我不禁想问，你会和你的朋友、你的家人、你的配偶AA制吗？

生 词　74

1.	目瞪口呆	mù dèng kǒu dāi	（成）
2.	司空见惯	sī kōng jiàn guàn	（成）
3.	和睦	hémù	（形）
4.	房东	fángdōng	（名）
5.	就座	jiùzuò	（动）
6.	融洽	róngqià	（形）
7.	疑义	yíyì	（名）
8.	聚餐	jùcān	（动）
9.	相聚	xiāngjù	（动）
10.	铭记	míngjì	（动）

1. 瞪着眼睛说不出话，形容因吃惊或害怕而突然愣住的样子。*stupefied, dumbstruck, gaping*
2. 表示看惯了就不觉得奇怪。*a common sight, a common occurrence, harmony, concord, good relations*
3. 相处得很好，没有矛盾冲突。
4. 房客对房主的称呼。*landlord*
5. 坐到座位上。*take one's seat, be seated*
6. 彼此感情好，没有抵触。*harmonious, on friendly or good terms*
7. 可以怀疑的道理。*doubt, doubtful point*
8. 聚在一起吃饭。*dine together*
9. 集合、聚会。*to meet together, to assemble*
10. 深深地记在心里。*always remember, ingrained in the mind*

边学边练

合　　就座　　融洽　　小费　　目瞪口呆　　司空见惯

amiable, obliging

1. 他为人很随和，与大家相处得很 <u>融洽</u> 。
2. 在很多国家都有顾客向服务人员付 <u>小费</u> 的习惯。
3. 宴会马上开始，请大家 <u>就座</u> 。 → *can't refrain from*
   banquet *yenhui*
4. 他们好不容易打开箱子，不禁 <u>目瞪口呆</u> 箱子竟然是空的。 *bujin*
5. 听写的时候，请大家把书都 <u>合</u> 上。
6. 大家对一次性物品已经 <u>司空见惯</u>，往往意识不到它们带来的巨大浪费。

（合上书 - close the book）

课文二　正方：AA制好处多

课 文　75

① 要我说啊，AA制好处多了。就拿用餐AA制来说吧：一是<u>公平</u>。大家吃饭大家掏钱，天经地义，合情合理，免去了在"谁掏钱"问题上的矛盾，有

利于同事和朋友之间的和睦相处。二是经济。因为共同参与买单，自己也要掏一部分腰包，自然会注意节约，避免了花钱大手大脚，也避免了浪费。三是对健康有利。吃多少买多少，肚子是自己的，没必要花钱买罪受。既然好处如此之多，何乐而不为呢？

② 说到东方文化，中国有一句古话叫"亲兄弟，明算账"，我认为这是天经地义的。在朋友之间的交往中，谁的就应该是谁的，谁的账就应该谁自己来付。可是对有些人来说，好像朋友之间明算账就是小气，就不够朋友了。所以只要跟朋友在一起就争着抢着去付账，甚至连到底应该付给卖家多少也不考虑了。往往吃了亏还不知道。你说这又何必呢？

③ 抱歉，我打断一下。也许有人会说朋友之间采用 AA 制是斤斤计较，是见外，会影响友谊，其实不然。大家仔细想想就会发现，和朋友在一起常常为付款的事搞得心里有点累。这次别人为自己付了款，自己心里就很不安，就得把这事记在心上，总要找个机会再为对方买一次单。在没有找到机会之前，你总有一种欠了人情的沉重感觉。欠钱还好说，而欠了朋友的人情，你就得加倍偿还，似乎只有这样才对得起朋友。如果是自己花得比朋友少就会觉得自己没有面子；而如果自己花得比朋友多，又会觉得有点吃亏。这样你来我往，表面上看朋友之间亲密得不分你我，实际上，久而久之，朋友之间的交往就会减少，关系也会被冲淡。

④ 对刚参加工作和正在上学的人来说，他们的收入本来就有限，如果一个人为大家付上一顿饭钱，可能就是半个月的工资或生活费。要是偶尔为之还好，倘若隔三差五就来一次，那可真吃不消。还是 AA 制更好，根据自己的经济实力消费，大家谁也不欠谁的人情。

⑤ 大家都觉得总不买单的人让人反感，这正是传统请客方式带来的问题。我们现在的生活节奏这么快，工作学习都很忙碌，谁能保证任何事情都能记在脑子里？难免会忘了该轮到谁了。到头来可能因为这个影响了朋友之间的关系。而如果 AA 制就完全可以避免这个问题了。大家都更自由、更独立。

⑥ 我觉得没什么不可以。AA 制强调各自承担各自的义务、各自负担各自的费用，简单实用、公平合理，可以更平等、更没有负担地相处，而且即使有一天关系不好了、分手了，也不会觉得谁欠谁的。

生 词 〔76〕

1.	天经地义	tiān jīng dì yì	（成）	原指上天的规范、大地的准则，后用来 指非常正确的、不容怀疑的道理。 *right & proper, perfectly justified*
2.	合情合理	hé qíng hé lǐ		合乎情理。 *fair & reasonable, fair & sensible*
3.	掏腰包	tāo yāobāo		从腰包里掏钱，多指出钱。 *pay out of pocket, foot the bill*
4.	大手大脚	dà shǒu dà jiǎo	（成）	形容花钱、用东西没有节制。 *wasteful, extravagant*
5.	吃亏	chīkuī	（动）	受损失。 *suffer losses, get the worst of it, be at a disadvantage*
6.	斤斤计较	jīnjīn jìjiào	（成）	形容过分计较微小的利益或无关紧要的 事情。 *haggle over every ounce, be calculating*
7.	见外	jiànwài	（形）	当外人看待，没有当做自己人看待。 *regard sb as an outsider*
8.	偿还	chánghuán	（动）	归还（所欠的债）。 *repay, pay back*
9.	久而久之	jiǔ ér jiǔ zhī	（成）	经过相当长的时间之后。 *over time, as time passes*
10.	倘若	tǎngruò	（连）	表示假设。 *if, supposing*
11.	隔三差五	gé sān chà wǔ	（成）	每隔不久，时常。 *every now and then (idiom)*
12.	吃不消	chībuxiāo	（动）	不能支持，支持不住，受不了。 *be unable to stand (exertion, fatigue, etc.)*
13.	反感	fǎngǎn	（形）	厌恶，不满。 *be disgusted with, dislike, be averse to*

边学边练

欠   掏腰包   吃亏   斤斤计较   吃不消   反感   争着抢着 +V   隔三差五

save   get together   unemployed   necessary/essential   sell

1. 怎么能每次聚会都让你 **掏腰包** 呢，这次我来吧。

2. 他宁可在家待业也不愿 **欠** 朋友的人情，请他们帮忙找一份工作。 *daiye*

3. 每天这么大的运动量，我可真有点儿 **吃不消** 了。

4. 这位歌星一走进会场，他的歌迷们都 **争着抢着** 为他献花，请他签名。

5. 跟朋友在一起完全没有必要 **斤斤计较**，那样会引起大家的 **反感**。

6. 买东西要货比三家，免得 **吃亏**，花冤枉钱。

7. 做了销售，**隔三差五** 就有个应酬，属于自己的时间越来越少。 *xiaoshou   ge sandaiwu   yingchou*

课文三　反方：AA制不适合东方文化

课　文　77

① 对刚才这位的观点我可不敢苟同。其实AA制这种交友方式更符合西方人的生活习惯，它并不适合我们亚洲人。东方文化讲究情感的投入和交流，特别讲究的是手足情、朋友情，其中包括同学之间的情感、战友①之间的情感。这种潜在的关系正是社会温暖的重要原因。如果在这些关系中使用AA制，会有什么样的结果，我想就不言而喻了。如果有人说AA制并不影响人们之间的情感，那么，你可以在你和你的女朋友之间试试，或者在你和你的客户之间试试。

② 说到这儿，我想插一句。我们确实见到有些人买单时争着抢着付账，可这是完全可以避免的，只要事先说好谁请客就行了。和朋友一起出去吃饭，主要是为了有一个交流沟通的机会。这样的时候我认为AA制并不可取，它至少会让我觉得彼此很生分，有距离。

③ 我完全不同意这种说法。既然是朋友，既然是哥们儿②，吃饭、喝酒自然都抢着付费。即使为他多付一些又有什么呢？况且在交往中，其实大家心里都有数，这次吃你的，下次就该我的了。大家轮流来，谁还会计较谁多买了一两次单呢？

④ 为什么总是想着谁欠谁的呢？朋友请我的时候，我能感到他的热情和友情，我请朋友的时候，我也会觉得付出是非常快乐的事情。而AA制只强调自我，久而久之，他不会慷慨了，你不会感激了，于是友谊消失了，社会冷漠了。你来我往的请客，既维护了这种关系，又增强了人的自觉性。想一想，那些吃饭总是不买单的人肯定是让人反感的，为了维护这种交往，就必须学会自觉，学会与人相处。

---

① 战友（zhànyǒu）：一起战斗或一起服兵役的人。
② 哥们儿（gēmenr）：关系非常亲密的弟兄、朋友（主要指男性朋友）。

⑥ 那么我想冒昧地问一句，支持 AA 制的人，你们和自己的男朋友、女朋友，甚至家人、配偶也是 AA 制吗？

⑦ 坦率地说，我最不能理解的就是谈恋爱 AA 制、家庭 AA 制。谈恋爱一起吃顿饭、看个电影，还要各掏一半，感觉你就是在找个人陪你吃饭、看电影，而不是在谈恋爱了。特别是男生，如果这么斤斤计较，女朋友不跟你分手才怪呢。AA 制看上去似乎挺公平合理的，实际上表现了一些人的不负责任、害怕承担、斤斤计较。一个家庭，夫妻之间，物质和金钱真的需要算得那么清楚吗？不妨想一想，什么都 AA 制了，什么都一分为二了，那爱情又去哪里了呢？

生 词 78

1.	手足	shǒuzú	（名）	手和脚，比喻兄弟。
2.	不言而喻	bù yán ér yù	（成）	不用说就可以明白。
3.	生分	shēngfen	（形）	（感情）疏远，不亲近。
4.	况且	kuàngqiě	（连）	表示更进一层，多用来补充说明理由。
5.	有数	yǒushù	（动）	知道数目，指了解情况，有把握。
6.	慷慨	kāngkǎi	（形）	大方，不吝啬。
7.	冷漠	lěngmò	（形）	（对人或事物）冷淡，不关心。
8.	维护	wéihù	（动）	维持保护，使免于遭受破坏。
9.	冒昧	màomèi	（形）	（言行）不顾能力、地位、场合是否适宜（多用做谦辞）。

边学边练

有数　　事先　　慷慨　　冒昧　　插　　况且

1. 如果计划有什么改变，你最好＿＿＿＿＿跟我们打个招呼。

2. 我想＿＿＿＿＿地问一句，你现在的收入能够养活你们一家人吗？

3. 经过仔细的调查，我们对情况已经心中＿＿＿＿＿了。

4. 他每年都会把收入的一部分＿＿＿＿＿地捐献出来，资助那些贫困儿童上学。

5. 抱歉，我想_____一句，你们刚才提到的这些都是正方的理由，有没有支持

　　反方的理由呢？

6. 从简历上看他的能力不错，_____还有熟人推荐，我看可以录用。

课堂活动与任务

一、模仿例子说出更多的词语。

1. AA 制：一国两制　　　限制

2. 欠钱：欠款　　　欠债　　　欠帐

3. 反感：情感　　　好感　　　自豪感　语感　美~

4. 手足情：友情　　　爱情　　　热情　感~

二、选择词语，灵活运用。

吃不消 / 吃得消	吃亏	欠	好说	有数
融洽	况且	各	司空见惯	斤斤计较

1. 这是旅行要带的物品清单，大家回去_____，后天一早在这儿集合。

2. 他_____，大家都觉得他太精明了，没人愿意和他成为朋友。

3. 这么艰苦的旅行，年轻人_____，他一个老人怎么_____？

4. 他和房东一家_____，就像一家人一样。

5. 超速、闯红灯、不走人行横道是一些_____，加大违章罚款力度能减

　　少这些行为吗？

6. 为了还清_____，他把房子抵押给了银行。

7. 他们只是到户外活动活动，_____，不会出问题的。

8. 朋友之间不要算得这么清楚，即使_____也没什么关系。

9. 您放心吧，我_____，不会弄错的。

10. 我们已经作了安排，至于什么时候开始_____，请大家等通知吧。

三、参考所给词语，根据课文内容说一说。

1. 根据课文一，说说什么事情让"我"目瞪口呆。

（相处　融洽　结账　事先　小费　司空见惯）

2. 根据课文一，说说 AA 制在国内的情况。

（新鲜　特别是　聚会　落伍　更有甚者　配偶）

3. 根据课文二，从与朋友的关系方面说说正方的观点。

（公平　天经地义　合情合理　掏腰包　争着抢着　吃亏　斤斤计较　见外　欠钱/人情
……还好说，而……　如果……，而如果……　表面上……，实际上……　久而久之）

4. 根据课文二，从个人经济能力方面说说正方的观点。

（经济　掏腰包　对……来说　……还好，倘若……　隔三差五　吃不消　大手大脚）

5. 根据课文三，说说反方的观点。

（讲究　况且　心里有数　事先　生分　见外　小气　斤斤计较　反感
慷慨　冷漠　看上去……，实际上……）

四、举一反三。

1. 只要跟朋友在一起就争着抢着去付账。

（1）辩论会上，＿＿＿＿＿＿＿＿＿＿＿＿＿。

（2）＿＿＿＿＿＿＿＿＿＿＿＿，几千张门票一抢而空。

（3）＿＿＿＿＿＿＿＿＿＿＿＿＿＿＿＿。

2. 欠钱还好说，而欠了朋友的人情账，你就得加倍偿还。

（1）如果再有几天时间还好说，＿＿＿＿＿＿＿＿＿＿。

（2）＿＿＿＿＿＿＿＿，＿＿＿＿＿＿＿，我真的不敢保证了。

（3）＿＿＿＿＿＿＿＿＿＿＿＿＿＿＿。

3. 如果是自己花得比朋友少就会觉得自己没有面子；而如果自己花得比朋友多，又会觉得有点吃亏。这样你来我往，让人感觉太累了。

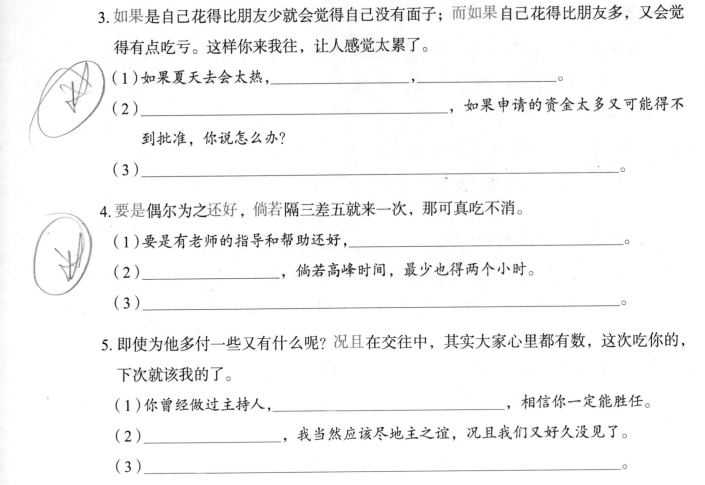

(1) 如果夏天去会太热，_____，_____。

(2) _____，如果申请的资金太多又可能得不到批准，你说怎么办？

(3) _____。

4. 要是偶尔为之还好，倘若隔三差五就来一次，那可真吃不消。

(1) 要是有老师的指导和帮助还好，_____。

(2) _____，倘若高峰时间，最少也得两个小时。

(3) _____。

5. 即使为他多付一些又有什么呢？况且在交往中，其实大家心里都有数，这次吃你的，下次就该我的了。

(1) 你曾经做过主持人，_____，相信你一定能胜任。

(2) _____，我当然应该尽地主之谊，况且我们又好久没见了。

(3) _____。

五、交际策略——假设复句连用进行说明

假设关系复句先用连词"要是""如果""假如""倘若"等提出假设的条件和情况，而后在"那""那么""就""则"等后面引出这种条件或情况下的结果。这类复句可以并列使用，提出正反两方面的假设，分别得出结论。而得出的结论都是为了用来更好地说明自己的观点和主张。"要是说""若是""假使"等也都可以提出这样的假设。

1. 要是偶尔为之还好，倘若隔三差五就来一次，那可真吃不消。

2. 如果是自己花得比朋友少就会觉得自己没有面子；而如果自己花得比朋友多，又会觉得有点吃亏。

3. 欠钱还好说，而欠了朋友的人情账，你就得加倍偿还。

4. 要是说能送货上门还可以考虑，要是让我自己去取货，那就算了。

5. 若是能通过笔试，则可以进入面试阶段；若是笔试通不过，那么就没有机会了。

试着使用上述方法就下列问题说明你的观点。

1. 比赛输赢的不同结果

2. 外出旅行带不带旅游指南

3. 退休人员应不应该再就业

4. 是否选择素食的碳排放量差异

5. 政府要不要征收交通拥堵费

六、表达训练——打断、插话

读一读，想一想：

◇ 抱歉，我打断一下。也许有人会说朋友之间采用 AA 制是斤斤计较，是见外，会影响友谊。其实不然。

◇ 说到这儿，我想插一句。我们确实见到有些人买单时争着抢着付账，可这是完全可以避免的。

◇ 那么我想冒昧地问一句，支持 AA 制的人，你们和自己的男朋友、女朋友，甚至家人、配偶也是 AA 制吗？

你认为上面这几句话使用了什么表达方式？什么时候会需要使用这样的表达方式？

> **小贴士**
>
> 在与别人讨论、座谈、辩论时，可以使用这些句子打断别人插入话语，或是进一步确认对方的意思，或是提问，或是发表不同看法，或是转变话题。

试一试，说一说：

1. 对不起，我打断一下。……

2. 抱歉，我想插一句，……

3. 请允许我插一句，……

4. 冒昧地问一句，……

5. 说到这儿，我想补充一点，……

6. 等等，……

7. 慢着，……

七、完成任务。

1. 社会调查：外出就餐谁掏钱？

	和朋友	和恋人或配偶	和家人	和同事或同学	和客户
AA 制					
大家轮流掏钱					
经常自己请客					
经常别人请客					

2. 总结支持和反对 AA 制的理由。

支持 AA 制	反对 AA 制

八、小组讨论。

1. 结合社会调查，说一说：人们外出就餐时一般都采用怎样的付款方式？

2. 你会和你的男 / 女朋友实行 AA 制吗？

3. 你怎么看家庭 AA 制 / 夫妻 AA 制？

九、辩论会。

我们的生活中是否应该采用 AA 制？

我们是哪种朋友

去年回家乡，到最好的朋友家小住，才发现 AA 制在那里全然没有市场。不管是出去游玩，还是拖家带口地吃饭，甚至给孩子买衣服，自己吃一根冰棍，朋友都不允许我掏一分钱。早已习惯 AA 制的我们由一开始的惶惑到后来的坦然接受，整个身心都沉浸在浓浓的友情和关爱中。让金钱走到一边去的友情，使我们成为十几年不变的相交至深的朋友。这样的朋友是人生难得的一种收获，如果真有一天我走投无路需要投奔某个地方的时候，我第一个想到的人就是她。

再想想我那些 AA 制的朋友，大家在一起只有短暂的欢乐，所能交流的只是工作中的不快、人际交往的烦恼。因为彼此倾诉的需要，我们匆匆聚到一起，开心地聊一场，互相吹捧一通，然后带着心满意足挥手"拜拜"，谁也不欠谁的，就如同一次友情快餐。AA 制确实不会在朋友间造成因钱而发生的不快，但是它把金钱摆在桌面上，让大家在倾吐心事的时候看见一道界线——那道界线就是成为朋友深浅的尺度，它无形地丈量着我们的友谊：我们是哪种朋友？

网络调查

1. 你赞成婚姻经济 AA 制吗？

　　◇ 赞成。独立的婚姻经济，让夫妻双方既相互独立又相互联系。

　　◇ 不赞成。夫妻是亲密无间的，搞 AA 制，婚姻的氛围少了很多。

　　◇ AA 制很前卫，到底好不好现在不好下结论。

2. 你认为 AA 制婚姻受追捧的原因是什么？

　　◇ 简单，自由，经济上不受约束。

　　◇ 夫妻明算账，免得以后扯皮。

　　◇ AA 制很流行，婚姻也采用它是紧跟时尚。

　　◇ 和年轻人追求自我、自主的意识分不开。

3. AA 制婚姻真能长久吗？你怎么看？

　　◇ 当然能长久。AA 制能让夫妻双方合力承担起家庭的责任，婚姻会更和睦。

　　◇ 持续不了多久。刚开始赶流行、图新鲜，但经济上的 AA 制会让人有距离感。

　　◇ 太不现实。AA 制把钱放在第一位，这样的婚姻没有生命力。

　　◇ 夫妻双方自己的事，关键是看自己。

4. 你认为 AA 制婚姻会逐步替代传统婚姻吗？

　　◇ 很可能替代。AA 制使夫妻双方对家庭都有了责任感，既前卫又实用。

　　◇ 不太可能。过于强调经济上的相互分担，忽略了除了钱以外的东西。

　　◇ 根本不可能。传统婚姻经过长期考验，是 AA 制婚姻无法替代的。

　　◇ 不一定。两种婚姻经济模式各有优劣，谁占主流还说不定。

（选自腾讯大渝网）

我的收获

◎ 重点词语

◎ 表达方式

◎ 精彩观点

◎ 文化差异

◎ 其他方面

14 爱情呼叫转移

表达方式

1 总而言之 / 总之 / 一句话

1. 这部影片的总制片人是……，导演是……，编剧是……，男主角……，女演员……。总而言之，影片的制作团队阵容强大，明星云集。

2. 影片中有很多漂亮的女明星，有很多时尚元素，还有很多幽默的对白。一句话，这是一部值得一看的喜剧片。

3. 时间不合适，我们可以换；地点不满意，您可以选。总之一句话，我们一定满足您的要求，为你提供最好的服务。

2 以……为主线，（通过……）描写了 / 表现了 / 表达了 / 描绘了……

1. 影片以一个男人寻找理想的妻子为主线，通过主人公徐朗和 12 个女人的故事表现了一个男人感情生活当中的困惑和茫然。

2. 这部作品以时间为主线，通过绘画和照片，表达了作者对故乡的怀念和美好愿望。

3. 小说以一个艺术家的一生为主线，描绘了三四十年代老北京的社会风貌和老北京人的生存状态。

3 ……是这样的：……

1. 影片内容是这样的：都市白领徐朗……

2. 曾经看过一部短篇小说，故事的内容是这样的：……

3. 这件事情的经过是这样的：……

4 讲述了……

1. 这部电影讲述了一个现实生活中绝对不可能发生的故事。

2. 在接受采访时，他向大家讲述了自己在太空中行走的真实感受。

3. 这本书讲述了作者跟随探险队穿越沙漠的经历。

5 无所谓 A 不 A

1. 电影无所谓有没有教育意义，无所谓获奖不获奖，只要观众认可就足够了。

2. 我想买一部手机，无所谓品牌不品牌，但一定要功能齐全，方便好用。

3. 大家一起唱卡拉 OK，无所谓唱得好不好，就是为了一起玩儿，一起开心。

课文一　《爱情呼叫转移》

课　文　79

《爱情呼叫转移》是 2007 年中国电影集团公司和几家影视公司联合出品的一部贺岁片。总制片人是中国电影集团总经理、国家一级导演韩三平，他被称

为中国电影掌门人①。导演是张建亚，他与陈凯歌、张艺谋都被称为中国第五代导演。编剧之一是国内一个脱口秀节目主持人刘仪伟。这几位都可谓是大名鼎鼎。男主角由徐峥扮演，女演员也都在国内有着较高的知名度。总而言之，影片的制作团队阵容强大，明星云集，再加上搞笑的故事，一上映就受到广大观众的喜爱和好评。

影片以一个男人寻找理想的妻子为主线，通过主人公徐朗和 12 个女人的故事表

---

① 掌门人（zhǎngménrén）：武林中管理统率某一门派的人，现在多用来戏称某一部门或团体的主要负责人。

现了一个男人感情生活当中的种种困惑、尴尬和茫然。

　　故事的内容是这样的：男主人公徐朗是一位都市白领，因为厌倦了老婆每周四天的炸酱面②和永远不变的家居服，在他自己都没意识到的情况下，"离婚"二字脱口而出，他被老婆赶出了家门。这天夜里，他遇见了一个自称天使的神秘人，这位男子送给他一部手机，并告诉他，每按一个按键就会有一次艳遇，就会把他梦想中理想的女性带到他的身边。天使没有说谎，从拿到手机的那一刻起，陆续有12个不同类型的女人闯进了徐朗的生活。12位美女，职业、性格各不相同，她们和徐朗又发生了什么故事呢？

生词 80

1.	出品	chūpǐn	（动）	制造出来产品。
2.	贺岁片	hèsuìpiàn	（名）	为祝贺新年或春节而上映的影片。
3.	制片人	zhìpiànrén	（名）	一般指电影公司的老板或投资方的代表。
4.	编剧	biānjù	（名）	编写剧本的人。
5.	大名鼎鼎	dàmíng dǐngdǐng	（成）	形容名气很大。
6.	扮演	bànyǎn	（动）	打扮成某种人物、某一角色进行表演。
7.	阵容	zhènróng	（名）	队伍整体所显示的力量、气势，多比喻人员的配备。
8.	云集	yúnjí	（动）	比喻许多人像天空中的云一样从各处来，聚集在一起。
9.	搞笑	gǎoxiào	（动）	制造笑料，逗人发笑。
10.	上映	shàngyìng	（动）	（电影）放映、上演。
11.	主线	zhǔxiàn	（名）	这里指故事情节发展的主要线索。
12.	主人公	zhǔréngōng	（名）	文艺作品的中心人物。
13.	茫然	mángrán	（形）	完全不知道的样子；失意的样子。

②炸酱面（zhájiàngmiàn）：一种特色面条。（noodles with soybean paste）

14. 厌倦　　　yànjuàn　　（动）　　对某种事物或活动失去兴趣，感到厌烦，而不愿继续。be weary of, be tired of

15. 脱口而出　　tuō kǒu ér chū　（成）　　不加思索，随口说出。say sth. unwittingly, blurt out

16. 艳遇　　　yànyù　　（名）　　与异性相遇并产生感情的经历。favorable opportunity for an encounter with a beautiful woman

边学边练

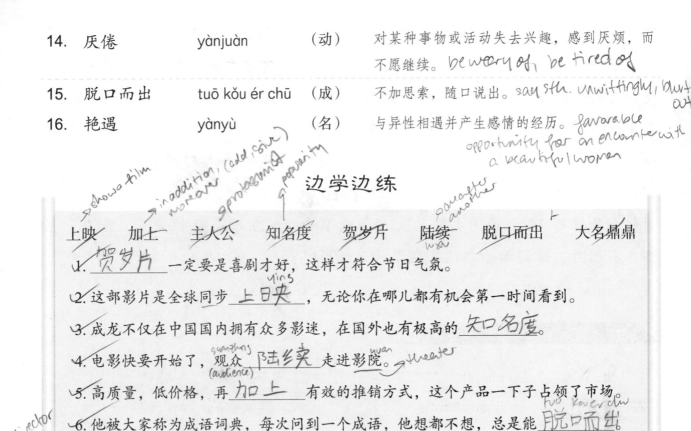

上映　　加上　　主人公　　知名度　　贺岁片　　陆续　　脱口而出　　大名鼎鼎

1. 贺岁片 一定要是喜剧才好，这样才符合节日气氛。

2. 这部影片是全球同步 上映 ，无论你在哪儿都有机会第一时间看到。

3. 成龙不仅在中国国内拥有众多影迷，在国外也有极高的 知名度 。

4. 电影快要开始了，观众 陆续 走进影院。

5. 高质量，低价格，再 加上 有效的推销方式，这个产品一下子占领了市场。

6. 他被大家称为成语词典，每次问到一个成语，他想都不想，总是能 脱口而出 。

7. 这部电影的导演是 大名鼎鼎 的张艺谋。

8. 这部影片的男 主人公 是一个11岁的男孩。

课文二　《爱情呼叫转移》评论

课　文 81

　　这部电影讲述了一个现实生活中绝对不可能发生的故事，一个刚刚离婚的先生得到一部手机，而手机上不同的按键，可以让他找到不同类型的女人并跟她们交往。影片围绕的还是爱情这个古老的主题，但是并没有刻意地去描述浪漫的场面，而是以一种轻松、幽默、时尚的喜剧形式出现，在娱乐的同时，也包含着深刻的生活哲理。

　　影片用一部手机把主人公与这些美女的故事串在一起，把现实生活中男女常见的感情故事结合在一起，展现在观众面前，通过这个电影告诉大家，每个人都有权利去恋爱，但是我们每个人必须珍惜每一次恋爱的机会。

坦率地说，《爱情呼叫转移》其实没什么太多的剧情，是一部有着很浓的商业片味道的电影，可是现实生活中的男男女女都可以在电影里看到自己或周围人的影子，搞笑的内容让我们捧腹大笑的同时，或许也可以让我们明白某种道理。影片中有很多漂亮的女明星，有很多时尚元素，有很多我们熟悉的生活片段，还有很多幽默的对白。一句话，这是一部值得一看的喜剧片，相信会给你带来不少笑声。

生　词　82

1.	讲述	jiǎngshù	（动）	把事情或道理讲出来。
2.	围绕	wéirào	（动）	围着转动或围在周围，常用于指以某个问题或事情为中心。
3.	刻意	kèyì	（副）	用尽心思。
4.	哲理	zhélǐ	（名）	关于宇宙和人生的原理。
5.	展现	zhǎnxiàn	（动）	显现出，展示。
6.	捧腹大笑	pěngfù dà xiào		捧着肚子大笑，形容遇到极其可笑的事情，笑得不能控制自己。
7.	或许	huòxǔ	（副）	也许。
8.	片段	piànduàn	（名）	整体（多指文章、小说、生活、经历等）中的一段。
9.	对白	duìbái	（名）	戏剧、电影中角色之间的对话。

边学边练

描述　　对白　　围绕　　影子　　喜剧片　　捧腹大笑

1. 老师请大家把看到的电影情节用语言 描述 出来。

2. 这是一部描写大学生生活的电影，我们可以在影片中看到自己的 影子 。

3. 我喜欢看 喜剧片 ，一边看一边笑，又轻松又愉快。

4. 马戏表演中小丑的出现常常都让观众 捧腹大笑 。

5. 模仿电影中人物的 __对白__ 是学习语言练习口语的好方法。

6. 请大家 __围绕__ 是否应该采用 AA 制这一话题展开辩论。

课文三 《爱情呼叫转移》续集

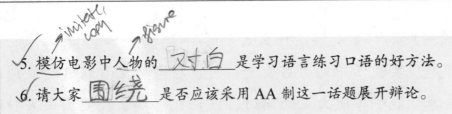

《爱情呼叫转移》当年与一部 007 影片同时上映，但仍然获得了全国 1700 万的票房收入，成为了国内电影市场的一匹黑马③，受到媒体的高度关注和影迷的高度评价。制作方再接再厉，第二年推出了续集《爱情呼叫转移 2——爱情左灯右行》。这一次不再是男主角约会 12 位美女，而是一位美女与 12 位男士的故事。

根据市场调查，观众最喜欢的电影类型第一是喜剧，第二是爱情。到了年底，观众更是都希望看到轻松娱乐、热闹喜庆的电影。有电影界专业人士总结，一部贺岁喜剧片要想流行一定要具备三点。首先是明星云集，作为贺岁影片这是必须的,《爱情呼叫转移 2》中的女主角林嘉欣加上 12 位男星的超强阵容,

十分符合这个要求；另外，影片喜剧色彩要浓厚，结尾要光明，气氛要热闹喜庆,《爱情左灯右行》的搞笑方式，无疑是同档上映影片中喜剧气氛最浓的；最后一点是影片要有经典的台词，而这部影片也正好满足了这一要求，其中不少台词成了当年风靡一时的流行语。

---

③黑马（hēimǎ）：比喻在比赛等活动中出人意料获胜的竞争者。

《爱情呼叫转移》这个系列虽然不是好莱坞④大片，也没有获得奥斯卡⑤大奖，但仍然获得了观众的喜爱和极高的票房。所以说，电影无所谓有没有教育意义，无所谓获奖不获奖，归根结底还是观众说了算，只要观众认可就足够了。

生 词 84

1.	续集	xùjí	（名）	多指电视连续剧或电影播出一部之后，再拍的与前一部相关的后续作品。 *continuation (of a book, sequel)*
2.	票房	piàofáng	（名）	指上演电影、戏剧等的售票收入。 *booking office*
3.	再接再厉	zài jiē zài lì	（成）	一次又一次地继续努力。 *make persistent efforts, continue to exert oneself*
4.	浓厚	nónghòu	（形）	（色彩、意识、气氛）重。 *strong, pronounced, dense, thick*
5.	结尾	jiéwěi	（名）	结束的部分。 *ending*
6.	台词	táicí	（名）	戏剧角色所说的话。 *actor's lines*
7.	归根结底	guī gēn jié dǐ	（成）	归结到根本上。 *in the final analysis, fundamentally*
8.	认可	rènkě	（动）	许可、承认。 *approve*

边学边练

票房　续集　风靡　浓厚　台词　结尾

1. 这部电影获得了巨大成功，电影制片厂已经开始拍 <u>续集</u> 了。

2. 影片上映一周以来，<u>票房</u> 已经突破了两千万。

3. 我太喜欢这个角色了，他的每一句 <u>台词</u> 我都非常熟悉。

4. 七十年代，邓丽君的歌曲 <u>风靡</u> 全国，她也成为无数人心中的偶像。

5. 我不喜欢他的小说，看了开头就知道 <u>结尾</u>，太没有悬念了。

6. 他们的服饰都带有 <u>浓厚</u> 的地方色彩。

---

④ 好莱坞（Hǎoláiwù）：位于美国洛杉矶，是世界著名的电影城市。（Hollywood）

⑤ 奥斯卡（Àosīkǎ）："奥斯卡金像奖"的简称，正式名称是"电影艺术与科学学院奖"，1927年设立，每年评选一次，颁奖典礼在美国洛杉矶举行，是全球电影界的重要奖项。（Oscar）

课堂活动与任务

一、模仿例子说出更多的词语。

1. 喜剧片：_____　　_____　　_____

2. 总制片人：_____　　_____　　_____

3. 知名度：_____　　_____　　_____

4. 讲述：_____　　_____　　_____

二、选择词语，灵活运用。

围绕	影子	……片	无所谓
台词	扮演	归根结底	再加上

1.《少林寺》，这部电影一听名字就知道_____。

2. 他一个人在影片中同时_____，非常成功，受到观众的好评。

3. 好的习惯，健康的饮食，_____，一定能让你保持良好的身材。

4. 写作文时，要看清题目，_____，不能跑题。

5. 生活经历对作者的创作影响很大，我们常常可以_____。

6. 他上台表演时太紧张了，_____。

7. 这次比赛_____，我们是为了获得一些比赛经验，大家把它看成一次训练就行了。

8. 我们可以帮你出主意，也可以帮你想办法，但是_____。

三、参考所给词语，根据课文内容说一说。

1. 根据课文一，介绍一下《爱情呼叫转移》的制作团队。

（出品　制片人　导演　编剧　扮演　主角　阵容　总而言之）

2. 根据课文一，概括介绍《爱情呼叫转移》的主要内容。

（以……为主线　表现　……是这样的　厌倦　陆续）

3. 根据课文二，简单评论一下《爱情呼叫转移》这部电影。

（讲述　围绕……主题　商业片　影子　搞笑　一句话）

4. 根据课文三，说说为什么会拍摄《爱情呼叫转移2》。

（当年　上映　票房　黑马　续集）

5. 根据课文三，说说《爱情呼叫转移》系列为什么受欢迎。

（电影界　超强　喜剧　浓厚　结尾　台词　无所谓A不A　归根结底）

四、举一反三。

1. 这部影片的总制片人是……，导演是……，编剧是……，男主角……，女演员……。总而言之，影片的制作团队阵容强大，明星云集。

影片中有很多漂亮的女明星，有很多时尚元素，还有很多幽默的对白。一句话，这是一部值得一看的喜剧片。

（1）现在老年人除了选择家庭养老、机构养老，还可以选择以房养、旅游养老、异地养老，等等，_____。

（2）_____，_____，提高文明交通意识才是最重要的。

（3）_____。

2. 影片以一个男人寻找理想的妻子为主线，通过主人公徐朗和12个女人的故事表现了一个男人感情生活当中的困惑和茫然。

（1）这部作品以时间为主线，_____。

（2）_____，表现了都市年轻人的生活状态。

（3）_____。

3. 这部电影讲述了一个现实生活中绝对不可能发生的故事。

（1）他新出版的自传_____。

（2）_____，让我们对这位老人有了更多的了解。

（3）_____。

4. 电影无所谓有没有教育意义，无所谓获奖不获奖，只要观众认可就足够了。

（1）价格不用考虑，无所谓贵不贵，_____。

（2）_____，最重要的是先得到这份工作。

（3）_____。

五、交际策略——概述主要内容

在介绍某一电影作品或文学作品时，除了介绍制作人、作者等相关信息，最重要的是介绍它的内容。可以先对其主要内容进行概括，如"A 以……为主线，（通过……）表现/描写了……""A 讲述了……的故事/经历"，也可以用"故事的内容是这样的"来开始。

1. 影片以一个男人寻找理想的妻子为主线，通过主人公徐朗和 12 个女人的故事表现了一个男人感情生活当中的种种困惑、尴尬和茫然。

2. 这部电影讲述了一个刚刚离婚的先生得到一部手机，而手机上不同的按键，可以让他找到不同类型的女人并跟她们交往的这样一个故事。

3. 这部小说讲述了几位年轻人在海外留学、创业的经历。

4. 故事的内容是这样的：男主人公徐朗是一位都市白领，……

试着使用上述方法概述一部你喜欢的电影的主要内容。

六、表达训练——概括总结

读一读，想一想：

◇ 这部影片的总制片人是……，导演是……，编剧是……，男主角……，女演员……。总而言之，影片的制作团队阵容强大，明星云集。

◇ 影片中有很多漂亮的女明星，有很多时尚元素，有很多我们熟悉的生活片段，还有很多幽默的对白。一句话，这是一部值得一看的喜剧片。

◇ 所以说，电影无所谓有没有教育意义，无所谓获奖不获奖，归根结底还是观众说了算，只要观众认可就足够了。

你认为上面的这几句话使用了什么表达方式？什么时候会使用这样的表达方式？

小贴士

对所述内容进行概括总结时可使用"总而言之""总之""一句话""归根结底"等。

试一试，说一说：

1. 一部电影受欢迎的原因

2. 推荐一本好书的理由

3. 成为一名优秀演员的条件

4. 外出旅行要作的准备

5. 一个学期以来的收获

七、完成任务。

1. 向大家推荐一部好影片。

影片基本信息	影片主要内容	你对影片的评价

2. 大家对所有被推荐的影片进行投票，选出三部最佳电影。

最佳电影排行榜

八、小组讨论。

1. 明星的票房号召力有多大？

2. 电影是否一定要有教育意义，是否一定要告诉人们某种道理？

3. 电影应该注重娱乐性还是教育性？

内容链接一

我最喜欢的演员

美国著名演员汤姆·汉克斯是当今好莱坞最有影响力的影星之一，也是我最喜欢的演员之一。他具有突出的表演天赋，以演技精湛而著称，曾参演过多部不同类型的电影。他曾饰演过《阿甘正传》中的低能儿，《西雅图夜未眠》中沉默善良、幽默风趣而又有些忧郁的父亲，《阿波罗13号》中那个临危不惧的宇航员，《费城故事》中身患艾滋病的同性恋律师，还有之后的《拯救大兵瑞恩》、《荒岛余生》、《幸福终点站》、《达芬奇密码》，他甚至还在动画片《玩具总动员》中为玩具牛仔配音。无论什么角色，一经汉克斯的表演，马上就变得活灵活现，令人难以忘怀。他出演过多部卖座影片，有多部电影的票房收入超过5亿美元，他还多次获得电影大奖，如奥斯卡奖、金球奖、柏林奖等，给全世界影迷留下了深刻印象。

内容链接二

奥斯卡

奥斯卡奖原来称为学院奖，颁奖分为两大类：成就奖和特别奖。成就奖包括：最佳影片、最佳剧本（含最佳创作与最佳改编）、最佳导演、最佳表演（含最佳男主角、最佳女主角、最佳男配角、最佳女配角）、最佳摄影、最佳美工、最佳音乐（含最佳作曲、最佳改编音乐和最佳歌曲）、最佳音响、最佳化妆、最佳短片、最佳纪录片和最佳外语片等。特别奖则有荣誉奖、纪念奖、人道主义奖等。

所有获奖名单都是高度保密的，它由专人根据投票结果统计出来，存放在用红蜡封印的信封里，评选结果只有在颁奖晚会上才能一见分晓。所以，颁奖晚会上，每当司仪说"现在宣布，获奖者是……"时，人们便心跳加速，屏住呼吸，竖起了耳朵。

由米高梅电影公司艺术指导德里克·奇博斯精心设计的电影学院奖奖杯是一个高 13.5 英寸、重 8.54 磅的锡铜合金镀金裸体人像：一位英俊魁伟的青年紧握一柄长剑，屹立在一盘电影胶片上。它已成为荣誉与成功的化身。

我的收获

◎ 重点词语

◎ 表达方式

◎ 精彩观点

◎ 文化差异

◎ 其他方面

15 高尔夫魅力无限

表达方式

1 起源于……

1. 高尔夫运动起源于 15 世纪的苏格兰。

2. 足球运动最早起源于中国古代的一种球类游戏"蹴鞠"。

3. 一般认为,现在盛行中国各地的守岁习俗起源于唐代。

2 起初……,后来……,再后来……

1. 起初是用牧羊的鞭子击打石子,后来改用木板把石子打进洞穴里去,再后来才有了球杆。

2. 起初他们还可以和睦相处,后来各种矛盾逐渐显现出来,再后来就根本不来往了。

3. 起初他只是在学校里小有名气,后来上了本地的报纸,再后来就成了家喻户晓的明星。

3 靠……来……

1. 因为天气寒冷,牧羊人经常带一瓶烈性酒,靠饮酒来取暖。

2. 双方最后打成了二比二平,不得不靠点球来决定胜负。

3. 他靠反复地观看比赛录像来了解对手。

4 最开始 / 最初……,后来 / 而后……,……,最终……

1. 最开始它只是苏格兰牧羊人的游戏,后来成为苏格兰的一项传统项目,而后传入英格兰。19 世纪末传到美洲、澳洲及南非,20 世纪传到亚洲,最终成为全世界闻名的一个运动项目。

2. 足球最初起源于中国,后来传到欧洲,15 世纪末有了"足球"之称,比赛规则也不断完善,最终发展成现代的足球运动。

3. 花样滑冰最早始于美国，而后相继在德国、加拿大等欧美国家开展起来，最终成为冬季奥运会的比赛项目。

5 过去……，从……起，……，目前/现在……

1. 高尔夫比赛过去只有职业选手参加，从1965年英国公开赛起，业余选手也允许参加，这大大推动了高尔夫运动在全世界的发展。目前，世界上高尔夫运动赛事十分频繁。

2. 过去这只是冬奥会的表演项目，从1960年起，被正式列为冬奥会比赛项目，现在被称为现代冬季两项。

3. 过去上班路上要花一个多小时，从去年起，这里开通了地铁，现在不到40分钟就可以到单位了。

6 轻则……，重则……

1. 倘若是正式比赛迟到，轻则受罚，重则丧失比赛资格。
2. 对运动员的这种犯规行为，轻则黄牌警告，重则红牌罚下。
3. 对酒后驾车的处罚非常严厉，轻则罚款、取消驾照，重则判刑入狱。

课文一　高尔夫的起源

课　文 85

关于高尔夫运动的起源有种种不同的说法，流传最广的一种是说高尔夫运动起源于15世纪的苏格兰[①]。据说当时苏格兰的牧羊人在放牧之余，喜欢在一片绿色的草地上，做一种打石子的游戏。起初是用牧羊的鞭子击打石子，后来改用木板把石子打进洞穴里去，再后来才有了球杆。因为天气寒冷，牧羊人在玩这种游戏时经常带一瓶烈性酒，靠饮酒来取暖。每打一个洞喝一口酒，常常

[①] 苏格兰（Sūgélán）：Scotland 的中文译名。

是打完 18 个洞，一瓶酒也差不多喝完了，这也就形成了后来一场高尔夫球要打 18 个洞的习惯，这一项规定一直沿袭到今天。

　　高尔夫运动从产生到发展成为风行世界的体育运动项目，经历了漫长的历史过程。最开始它只是苏格兰牧羊人的游戏，后来逐渐引起贵族和民间青年的浓厚兴趣，成为苏格兰的一项传统项目，而后传入英格兰[②]。19 世纪末传到美洲、澳洲及南非，20 世纪初传到亚洲，最终成为全世界闻名的一个运动项目。由于打高尔夫球最早在贵族中盛行，再加上场地和设备昂贵，所以有"贵族运动"之称。在某些地方，它除了作为一种时尚，有时还是某种身份的象征，令不少人向往。

生　词　　86

1.	起源	qǐyuán	（名、动）	事物发生的根源；开始发生。
2.	牧羊	mù yáng		照管、饲养和看守羊。
3.	放牧	fàngmù	（动）	把牛、羊、马等赶到草地上去吃草、活动。
4.	鞭子	biānzi	（名）	形状细长、可弯曲的、赶牲畜的用具。
5.	洞穴	dòngxué	（名）	地洞或山洞。
6.	烈性	lièxìng	（形）	性质猛烈。
7.	沿袭	yánxí	（动）	依照旧传统或原有的规定办理。
8.	风行	fēngxíng	（动）	普遍流行。
9.	贵族	guìzú	（名）	过去社会统治阶级中享有政治、经济特权的阶层，现泛指社会上享有特权的阶层。
10.	而后	érhòu	（连）	然后。
11.	盛行	shèngxíng	（动）	广泛流行。
12.	向往	xiàngwǎng	（动）	因热爱、羡慕而希望得到或达到。

---

② 英格兰（Yīnggélán）：England 的中文译名。

边学边练

沿袭　风行　向往　起源于　靠……来……

1. 龙舟运动 <u>起源于</u> 中国，至今已有两千多年的历史。
2. 经济困难时，他 <u>靠</u> 打第二份工 <u>来</u> 贴补生活开销。
3. 这种古老的风俗在本地已经 <u>沿袭</u> 了几百年，几乎没有改变。
4. 这种饮料曾经在东北地区 <u>风行</u> 一时，可惜现在却见不到了。
5. 他 <u>向往</u> 有一天能站在冠军的领奖台上。

课文二　高尔夫魅力无限

课文　87

　　高尔夫的英文"GOLF"是以绿色（Green）、氧气（Oxygen）、阳光（Light）和友谊（Friendship）这四个词的第一个字母组成的，寓意就是，在明媚的阳光下，脚下是一片绿色的草地，呼吸着新鲜的空气，在大自然的怀抱里与朋友打球游戏。也有人把"L"解释为休闲（Leisure），把"F"解释为脚步（Footstep）。总之，都是在描述高尔夫运动是在清新而美丽的环境中边散步、边打球、边聊天，既愉快又轻松。一项运动，能兼有上述这么多诱人的内容，难怪它在我们现代社会中也备受欢迎呢。

　　与许多其他运动项目不同，高尔夫大多是在没有裁判员监督的情形下进行的。这项运动依靠每个参与者主动为其他球员着想，自觉遵守规则。不论比赛多么激烈，所有球员都自觉约束自己的行为，在任何时候都表现出礼貌谦让和良好的运动精神。这就是高尔夫运动的精髓所在。至于胜负，简单来说，就是选手

用球杆击球入洞，18 洞为一轮，杆数最少者获胜。

　　参加高尔夫比赛的最大禁忌就是迟到。如果是与朋友间的比赛迟到，会被列为最不受欢迎的球友；倘若是正式比赛迟到，轻则受罚，重则丧失比赛资格。

生　词 〔88〕

1.	寓意	yùyì	（名）	寄托或隐含的意思。
2.	明媚	míngmèi	（形）	鲜艳，明亮，动人。
3.	兼有	jiān yǒu		同时具有。
4.	诱人	yòu rén		对人有吸引力。
5.	裁判员	cáipànyuán	（名）	在体育竞赛中做评判工作的人。
6.	监督	jiāndū	（动）	察看并督促。
7.	着想	zhuóxiǎng	（动）	（为某人或某事的利益）考虑。
8.	谦让	qiānràng	（动）	谦虚地礼让或退让。
9.	精髓	jīngsuǐ	（名）	比喻事物最重要、最好的部分。
10.	选手	xuǎnshǒu	（名）	被选上参加比赛的人。
11.	禁忌	jìnjì	（名）	犯忌讳的话或行动。

边学边练

　　　选手　　着想　　寓意　　诱人　　禁忌　　资格　　获胜　　裁判员

1. 饮食习俗中的一些_____，有的是来自宗教信仰。

2. 做事不能只图自己方便，也要为别人_____。

3. 这一组的_____已经站在了起跑线后边，比赛马上就要开始了。

4. 他在比赛中_____，成功进入决赛；而他的队友被淘汰，失去了进入下一轮的_____。

5. 90 分钟过去了，_____一声哨响，比赛结束了。

6. 亡羊补牢这个故事的_____就是，犯了错误要及时采取补救措施。

7. 这家公司给他开出了_____的薪酬条件，让他很难拒绝。

课文三　著名赛事与球员

课　文 89

　　高尔夫比赛过去只有职业选手参加，从 1965 年英国公开赛起，业余选手也允许参加，这大大推动了高尔夫运动在全世界的发展。目前，世界上高尔夫运动赛事十分频繁，有许多职业比赛、业余比赛、个人赛和团体赛。其中最著名的是世界男子职业高尔夫四大赛事，包括每年 4 月举行的大师赛（名人赛）、6 月举行的美国公开赛、7 月举行的英国公开赛以及 8 月举行的美国职业高尔夫球协会（PGA）锦标赛。连续赢得这四项赛事在高尔夫球界被称为"大满贯③"。

　　在世界高尔夫球坛上，泰格·伍兹（Tiger Woods）是当之无愧的头号种子选手，也是世界上身价最高的运动员之一。自从 1998 年以来，各大比赛都是伍兹唱主角，他获得了 14 个大满贯赛冠军，9 次成为奖金王，成为 9 个年度的最佳球员。出色的成绩背后，是巨大的收入。伍兹 2008 年挣了接近 1.1 亿美元，其中包括比赛奖金、出场费，还包括商业赞助、商业投资获得的利润以及他的高尔夫球场设计业务。他和耐克（Nike）签订了 1 亿美元的天价合同，时间长达 5 年。自从 2002 年取代舒马赫④成为收入最高的运动员以来，伍兹已经连续 8 年收入排名第一。此外，他也成为体坛中唯一一个收入超过 10 亿美元的球员。但是由于他的绯闻让他代言的体育用品销量下降，泰格·伍兹 2010 年的赞助费与过去一年相比下降了 2200 万美元，不过他依旧是美国体育界排名第一位的印钞机。

生　词 90

1.	赛事	sàishì	（名）	比赛活动。
2.	频繁	pínfán	（形）	（次数）多。

---

③ 大满贯（dà mǎnguàn）：指在一项运动中获得所有重要比赛的冠军。（grand slam）
④ 舒马赫（Shūmǎhè）：Michael Schumacher，著名的德国一级方程式赛车车手。

3.	坛	tán	（后缀）	指某一领域（多用于文艺界或体育界）。
4.	种子	zhǒngzi	（名）	指比赛中，进行分组淘汰赛时，各组里实力较强的运动员或队伍。
5.	唱主角	chàng zhǔjué		比喻担负主要任务或在某方面起主导作用。
6.	赞助	zànzhù	（动）	多指拿出财物帮助、支持。
7.	天价	tiānjià	（名）	指极高的价格。
8.	绯闻	fēiwén	（名）	桃色新闻。
9.	代言	dàiyán	（动）	代表某方面发表言论。现在泛指明星作为某种产品的形象代表进行宣传。

边学边练

频繁　　赛事　　种子选手　　赞助　　天价　　代言　　绯闻

1. _____对明星有负面作用，但也可以提高他们的知名度。

2. 随着外交关系的建立，两国之间的经济、文化往来也越来越_____。

3. 很多公司都请影视明星_____他们的品牌。

4. 这件瓷器在拍卖会上拍出了 8 千万的_____。

5. 四年一次的足球世界杯是最重要的体育_____之一。

6. 根据他的排名和上届比赛成绩，他这次被列为了_____。

7. 这次活动是由几家通信公司共同_____举办的。

课堂活动与任务

一、模仿例子说出更多的词语。

　　1. 兼有：_____　　　_____　　　_____

　　2. 风行：_____　　　_____　　　_____

3. 球坛：＿＿＿＿＿＿　　　＿＿＿＿＿＿　　　＿＿＿＿＿＿

4. 球友：＿＿＿＿＿＿　　　＿＿＿＿＿＿　　　＿＿＿＿＿＿

二、选择词语，灵活运用。

起源	向往	……坛	轻……重……	赢
风行	着想	靠……来……	天价	赞助

1. 这里的住房六万元一平米，＿＿＿＿＿＿＿＿＿＿。

2. 这些年以来，＿＿＿＿＿＿＿＿＿＿可以看到越来越多的东方面孔。

3. 棒球＿＿＿＿＿＿＿＿＿＿，最早的一场棒球比赛是在纽约的一个地方举行的。

4. 这种录音机＿＿＿＿＿＿＿＿＿＿，直到后来逐渐被 CD 机所替代。

5. 太阳能路灯＿＿＿＿＿＿＿＿＿＿。

6. 影片中展现的诱人景色＿＿＿＿＿＿＿＿＿＿，那里很快成了旅游热点。

7. 公司对员工的管理非常严格，如果＿＿＿＿＿＿＿＿＿＿。

8. ＿＿＿＿＿＿＿＿＿＿，想办法提高售后服务质量。

9. 经过几轮激烈的比赛，＿＿＿＿＿＿＿＿＿＿。

10. 这家公司为本次活动提供了高达＿＿＿＿＿＿＿＿＿＿。

三、参考所给词语，根据课文内容说一说。

1. 根据课文一，说说高尔夫运动的起源。

（起源于　牧羊人　起初……后来……再后来……　靠……来……　沿袭）

2. 根据课文一，说说高尔夫运动的发展过程。

（产生　漫长　最开始……后来……而后……最终……　盛行）

3. 根据课文二，说说高尔夫为什么备受欢迎。

（寓意　明媚　新鲜　边……边……　诱人）

4.根据课文二，说说参加高尔夫运动要注意什么。

（裁判员　为……着想　约束　谦让　禁忌　轻则……重则……）

5.根据课文三，简单介绍一下高尔夫的主要赛事和泰格·伍兹。

（职业　业余　大满贯　种子选手　身价　体坛　绯闻）

四、举一反三。

1.高尔夫运动起源于 15 世纪的苏格兰。

（1）奥运会 起源于古希腊 。

（2）_____，现在已经成为全世界最受欢迎的运动之一。

（3）_____。

2.起初是用牧羊的鞭子击打石子，后来改用木板把石子打进洞穴里去，再后来才有了球杆。

（1）他回国后，起初还常有邮件来往，后来常有网上来往，_____。

（2）_____，_____，再后来她就来到了这里。

（3）_____。

3.因为天气寒冷，牧羊人经常带一瓶烈性酒，靠饮酒来取暖。

（1）他靠不断地参加比赛 来挣钱 。

（2）_____赢得了广大客户的认可。

（3）_____。

4.最开始它只是苏格兰牧羊人的游戏，而后成为苏格兰的一项传统项目，后来传入英格兰。19 世纪末传到美洲、澳洲及南非，20 世纪传到亚洲，最终成为全世界闻名的一个运动项目。

（1）最开始我们先确定了选题，_____问卷_____，之后的两周时间分头进行调查采访，再后来就是统计分析调查数据，_____。

（2）现代游泳运动最早_____，而后传入法国，成为风靡欧洲的运动，后来传遍世界各地，_____。

（3）_____。

5.倘若是正式比赛迟到，轻则受罚，重则丧失比赛资格。

（1）产品质量出现问题，_____，_____。

（2）_____，_____，重则会带来生命危险。

（3）_____。

五、交际策略——叙述过程

在叙述某一事物的来历、发展过程时，常常按照时间顺序来讲述，除了使用必要的具体时间外，还经常使用"起源于……""起初……，后来……，再后来……""最开始……，而后……""……，于是……""过去……，从……起，……""先……，然后……，后来……，最后……"等。

1.高尔夫运动起源于15世纪苏格兰牧羊人的一种游戏。

2.起初是用牧羊的鞭子击打石子，后来改用木板把石子打进洞穴里去，再后来才有了球杆。

3.水球起初是人们游泳时在水中传掷足球的一种娱乐活动，后来逐渐成为两队之间的竞技运动。

4.花样滑冰起源于美国，而后相继在德国、加拿大等欧美国家迅速发展起来。

5.不久，亚洲经济高速发展，于是高尔夫运动也在亚洲迅速崛起。

6.过去这只是冬奥会的表演项目，从1960年起，被正式列为冬奥会比赛项目，并定名为现代冬季两项。

试着使用上述方法介绍某一传统、某一习俗或某一运动的来源和发展过程。

六、表达训练——惯用语

读一读，想一想：

◇ 自从1998年以来，各大比赛都是伍兹唱主角，他获得了14个大满贯赛冠军。

◇ 那时的代驾服务都是在打擦边球，不敢公开作宣传、做广告。

◇ 大学生就业存在一种"高不成，低不就"的现象。

◇ 不管白猫黑猫，抓住老鼠就是好猫。

上面这几句话使用了汉语里的什么表达方试？使用这样的表达方式能取得什么样的效果？

小贴士

汉语惯用语通俗形象、简明生动，比较大众化，与成语相比更富口语色彩。恰当地使用惯用语可以让语言更自然、简明、生动、有趣。

试一试，说一说：

1. 摇钱树 → a ready source of money

2. 白日梦 — daydream

3. 背黑锅 → be made as a scapegoat, be unjustly blamed

4. 不管三七二十一 — casting all caution to the winds, regardless of the consequences, recklessly

七、完成任务。

1. 向大家介绍一项体育运动，包括它的来历、有关规则、相关赛事和著名运动员。

来历	有关规则	相关赛事	著名运动员

2. PPT 展示：小组合作，介绍某一国家一项传统运动项目或最有代表性的运动项目。

八、小组讨论。

1. 谈谈你最喜欢或最擅长的体育运动。

2. 你认为世界上最受欢迎的体育运动是什么？

3. 谈谈世界上身价最高的运动员。

4. 你如何看待体育比赛中的兴奋剂问题？

5. 你如何看待从事极限运动的人？

6. 谈谈你对"友谊第一，比赛第二"这句话的看法。

内容链接一

中国身价最高的运动员

中国身价最高的运动员，第一名非姚明莫属。2008年一年他的收入达到3.6亿元人民币。在NBA联赛打拼6个赛季后，姚明在NBA打球的年薪是1500万美元，其他收入全部来自广告和赞助合同。即使与他签约的大多数跨国品牌遇到金融寒流，也并不影响这些公司开发中国市场的信心。

第二名是刘翔，2008年年收入约6000万人民币。他也代言了十几个品牌，但北京奥运会上退赛给刘翔带来不小损失。大多数品牌已不会续约，新的一年刘翔需要用成绩证明自己。

第三名是跳水运动员郭晶晶，也是身价最高的女运动员，2008年年收入约3000万人民币。北京奥运会的两枚金牌为她带来高额奖金，但更主要的是来自代言品牌的收入。

内容链接二

中国的国球——乒乓球

乒乓球起源于英国，是由网球发展而来，所以英文名字是"table tennis"，即"桌上的网球"。二十世纪初，乒乓球运动传入中国，在新中国成立后成为一项普及较广的运动。1959年，乒乓球运动员容国团为中国夺得了第一个世界冠军，更使这一运动在中国长盛不衰。乒乓球运动无论男女老少都能参与，无论春夏秋冬、无论室内户外都能进行，得到了人们的普遍喜爱。中国运动员在世界乒乓球各项比赛中获得的金牌数也居世界之首。

乒乓球还在中国的外交史上占有重要地位，这就是七十年代的"乒乓外交"。"乒乓外交"为中国与美国、与其他国家建立外交关系，以及恢复中国在联合国的合法席位起到了至关重要的作用。

乒乓球为中国带来了荣誉，为人们带来了健康、带来了快乐，所以人们都把乒乓球称为中国的国球。

我的收获

◎ 重点词语

◎ 表达方式

◎ 精彩观点

◎ 文化差异

◎ 其他方面

生词总表
Vocabulary

A 昂贵	ángguì	（形）	10	
B 伴侣	bànlǚ	（名）	1	
扮演	bànyǎn	（动）	14	
保健	bǎojiàn	（动）	10	
备	bèi	（副）	6	
备案	bèi'àn	（动）	2	
编剧	biānjù	（名）	14	
鞭子	biānzi	（名）	15	
变迁	biànqiān	（动）	5	
便捷	biànjié	（形）	6	
标签	biāoqiān	（名）	3	
不屑一顾	bú xiè yí gù	（成）	10	
不在话下	bú zài huà xià	（成）	7	
不得已	bùdéyǐ	（形）	2	
不可思议	bù kě sīyì	（成）	6	
不言而喻	bù yán ér yù	（成）	13	
C 裁判员	cáipànyuán	（名）	15	
参与	cānyù	（动）	4	
参照	cānzhào	（动）	3	
肠胃	chángwèi	（名）	11	
偿还	chánghuán	（动）	13	
唱主角	chàng zhǔjué		15	
潮流	cháoliú	（名）	7	
沉闷	chénmèn	（形）	4	
沉迷	chénmí	（动）	4	
称号	chēnghào	（名）	7	
城堡	chéngbǎo	（名）	1	
惩罚	chéngfá	（动）	1	
吃不消	chībuxiāo	（动）	13	
吃亏	chīkuī	（动）	13	

迟钝	chídùn	（形）	8
迟早	chízǎo	（副）	2
持续	chíxù	（动）	8
抽查	chōuchá	（动）	2
出品	chūpǐn	（动）	14
处境	chǔjìng	（名）	3
匆匆	cōngcōng	（形）	11
从未	cóngwèi	（副）	11
存单	cúndān	（名）	1
D 搭车	dāchē	（动）	7
搭话	dāhuà	（动）	9
达人	dárén	（名）	3
打发	dǎfa	（动）	11
大材小用	dà cái xiǎo yòng	（成）	9
大名鼎鼎	dàmíng dǐngdǐng	（成）	14
大手大脚	dà shǒu dà jiǎo	（成）	13
代言	dàiyán	（动）	15
担保	dānbǎo	（动）	5
担忧	dānyōu	（动）	9
但凡	dànfán	（副）	2
诞辰	dànchén	（名）	6
当之无愧	dāng zhī wú kuì	（成）	6
低廉	dīlián	（形）	6
低碳	dītàn	（形）	10
递增	dìzēng	（动）	12
典籍	diǎnjí	（名）	2
点拨	diǎnbo	（动）	9
电源	diànyuán	（名）	10

定论	dìnglùn	（名）	6
丢脸	diūliǎn	（动）	8
动机	dòngjī	（名）	3
洞穴	dòngxué	（名）	15
督促	dūcù	（动）	2
赌博	dǔbó	（动）	4
锻炼	duànliàn	（动）	8
对白	duìbái	（名）	14
多元	duōyuán	（形）	2
E 恶化	èhuà	（动）	5
噩梦	èmèng	（名）	1
而后	érhòu	（连）	15
二氧化碳	èryǎnghuàtàn	（名）	10
F 发泄	fāxiè	（动）	4
法宝	fǎbǎo	（名）	11
烦躁	fánzào	（形）	4
反常	fǎncháng	（形）	4
反感	fǎngǎn	（形）	13
房东	fángdōng	（名）	13
放牧	fàngmù	（动）	15
绯闻	fēiwén	（名）	15
肥胖	féipàng	（形）	8
废品	fèipǐn	（名）	10
分流	fēnliú	（动）	5
分摊	fēntān	（动）	7
分享	fēnxiǎng	（动）	1
丰厚	fēnghòu	（形）	9
风靡	fēngmǐ	（动）	6
风行	fēngxíng	（动）	15
锋利	fēnglì	（形）	6
服用	fúyòng	（动）	8
辐射	fúshè	（动）	6
覆盖	fùgài	（动）	6
G 干	gān	（副）	11

尴尬	gāngà	（形）	6
感染	gǎnrǎn	（动）	1
高昂	gāo'áng	（形）	5
高不成，低不就	gāo bù chéng, dī bú jiù	（成）	9
高手	gāoshǒu	（名）	7
搞笑	gǎoxiào	（动）	14
告状	gàozhuàng	（动）	1
格式	géshì	（名）	9
隔三差五	gé sān chà wǔ	（成）	13
各司其职	gè sī qí zhí	（成）	2
更有甚者	gèng yǒu shèn zhě		9
公敌	gōngdí	（名）	8
公开	gōngkāi	（形）	5
公立	gōnglì	（形）	2
功劳	gōngláo	（名）	10
功效	gōngxiào	（名）	8
共赢	gòngyíng	（动）	7
沟通	gōutōng	（动）	3
苟同	gǒutóng	（动）	12
估算	gūsuàn	（动）	12
孤独	gūdú	（形）	7
怪异	guàiyì	（形）	11
官员	guānyuán	（名）	2
馆藏	guǎncáng	（名）	3
广泛	guǎngfàn	（形）	1
规范	guīfàn	（形）	2
规范	guīfàn	（动）	5
归根结底	guī gēn jié dǐ	（成）	14
归咎	guījiù	（动）	9
贵族	guìzú	（名）	15
国学	guóxué	（名）	2
过度	guòdù	（形）	10
过关	guòguān	（动）	4

过来人	guòláirén	（名）	9
过于	guòyú	（副）	9
H 哈欠	hāqian	（名）	1
含义	hányì	（名）	7
行家	hángjia	（名）	7
好感	hǎogǎn	（名）	9
好高骛远	hào gāo wù yuǎn	（成）	9
合情合理	hé qíng hé lǐ		13
何尝	hécháng	（副）	2
何苦	hékǔ	（副）	8
和睦	hémù	（形）	13
贺岁片	hèsuìpiàn	（名）	14
黑社会	hēishèhuì	（名）	3
衡量	héngliáng	（动）	5
后顾之忧	hòu gù zhī yōu	（成）	12
呼应	hūyìng	（动）	10
化	huà	（后缀）	2
缓解	huǎnjiě	（动）	5
回收	huíshōu	（动）	10
昏天黑地	hūn tiān hēi dì	（成）	11
或许	huòxǔ	（副）	14
豁达	huòdá	（形）	7
J 几率	jīlù	（名）	1
即便	jíbiàn	（连）	11
几经	jǐjīng	（动）	11
加剧	jiājù	（动）	5
加重	jiāzhòng	（动）	10
家用	jiāyòng	（名）	12
监督	jiāndū	（动）	15
兼有	jiān yǒu		15
检索	jiǎnsuǒ	（动）	3
简介	jiǎnjiè	（名）	3
见外	jiànwài	（形）	13
讲述	jiǎngshù	（动）	14

绞尽脑汁	jiǎo jìn nǎozhī	（成）	4
脚踏实地	jiǎo tà shí dì	（成）	9
皆	jiē	（副）	8
节能	jiénéng	（动）	10
拮据	jiéjū	（形）	12
结尾	jiéwěi	（名）	14
解除	jiěchú	（动）	12
解雇	jiěgù	（动）	4
借鉴	jièjiàn	（动）	5
借阅	jièyuè	（动）	3
斤斤计较	jīnjīn jìjiào	（成）	13
紧缺	jǐnquē	（形）	5
锦上添花	jǐn shàng tiān huā	（成）	1
尽情	jìnqíng	（副）	4
尽兴	jìnxìng	（动）	11
进度	jìndù	（名）	2
禁忌	jìnjì	（名）	15
经济	jīngjì	（形）	8
精髓	jīngsuǐ	（名）	15
精通	jīngtōng	（动）	7
纠纷	jiūfēn	（名）	5
久而久之	jiǔ ér jiǔ zhī	（成）	13
就餐	jiùcān	（动）	5
就算	jiùsuàn	（连）	11
就座	jiùzuò	（动）	13
聚餐	jùcān	（动）	13
均摊	jūntān	（动）	7
K 开销	kāixiāo	（名）	12
开支	kāizhī	（名）	12
堪称	kānchēng	（动）	6
慷慨	kāngkǎi	（形）	13
瞌睡	kēshuì	（动）	11
克隆	kèlóng	（动）	6
刻意	kèyì	（副）	14

空前	kōngqián	（动）	9	
口哨	kǒushào	（名）	1	
口述	kǒushù	（动）	3	
酷爱	kù'ài	（动）	1	
快捷	kuàijié	（形）	5	
况且	kuàngqiě	（连）	13	
困惑	kùnhuò	（形）	3	
扩散	kuòsàn	（动）	1	
L 劳动力	láodònglì	（名）	12	
老马识途	lǎo mǎ shí tú	（成）	12	
乐此不疲	lè cǐ bù pí	（成）	11	
冷漠	lěngmò	（形）	13	
理科	lǐkē	（名）	2	
理念	lǐniàn	（名）	7	
理所当然	lǐ suǒ dāng rán	（成）	7	
理直气壮	lǐ zhí qì zhuàng	（成）	8	
力不从心	lì bù cóng xīn	（成）	2	
历来	lìlái	（副）	12	
烈性	lièxìng	（形）	15	
拎	līn	（动）	6	
领域	lǐngyù	（名）	3	
流程	liúchéng	（名）	3	
录取	lùqǔ	（名）	2	
旅伴	lǚbàn	（名）	11	
屡见不鲜	lǚ jiàn bù xiān	（成）	10	
率	lǜ	（后缀）	9	
伦理	lúnlǐ	（名）	6	
落伍	luòwǔ	（动）	8	
M 盲目	mángmù	（形）	8	
茫然	mángrán	（形）	14	
毛遂自荐	Máo Suì zì jiàn	（成）	9	
冒犯	màofàn	（动）	3	
冒昧	màomèi	（形）	13	
门槛	ménkǎn	（名）	9	

门庭若市	méntíng ruò shì	（成）	5	
迷恋	míliàn	（动）	4	
免除	miǎnchú	（动）	10	
描述	miáoshù	（动）	3	
明媚	míngmèi	（形）	15	
铭记	míngjì	（动）	13	
模式	móshì	（名）	2	
目瞪口呆	mù dèng kǒu dāi	（成）	13	
牧羊	mù yáng		15	
N 乃至	nǎizhì	（连）	9	
浓厚	nónghòu	（形）	14	
P 排放	páifàng	（动）	10	
排行榜	páihángbǎng	（名）	3	
判定	pàndìng	（动）	3	
泡汤	pàotāng	（动）	11	
配偶	pèi'ǒu	（名）	1	
膨胀	péngzhàng	（动）	12	
捧腹大笑	pěngfù dà xiào		14	
偏见	piānjiàn	（名）	3	
片段	piànduàn	（名）	14	
漂浮	piāofú	（动）	6	
票房	piàofáng	（名）	14	
拼凑	pīncòu	（动）	7	
拼合	pīnhé	（动）	7	
拼争	pīnzhēng	（动）	7	
频繁	pínfán	（形）	15	
Q 期刊	qīkān	（名）	1	
期望值	qīwàngzhí	（名）	9	
起草	qǐcǎo	（动）	9	
起源	qǐyuán	（名、动）	15	
千不该，万不该	qiān bù gāi, wàn bù gāi		11	
谦让	qiānràng	（动）	15	
前所未有	qián suǒ wèi yǒu	（成）	6	

前提	qiántí	（名）	4
青睐	qīnglài	（动）	6
轻轨	qīngguǐ	（名）	5
清单	qīngdān	（名）	11
晴雨表	qíngyǔbiǎo	（名）	7
趋势	qūshì	（名）	2
取代	qǔdài	（动）	10
全职	quánzhí	（形）	2
劝说	quànshuō	（动）	8
群体	qúntǐ	（名）	7
R 人满为患	rén mǎn wéi huàn	（成）	11
认可	rènkě	（动）	14
融洽	róngqià	（形）	13
如意	rúyì	（动）	11
如影随形	rú yǐng suí xíng	（成）	11
S 赛事	sàishì	（名）	15
三天打鱼，两天晒网	sān tiān dǎ yú, liǎng tiān shài wǎng	（成）	8
扫地	sǎodì	（动）	8
杀手	shāshǒu	（名）	6
筛选	shāixuǎn	（动）	3
闪	shǎn	（动）	11
善待	shàndài	（动）	10
赡养	shànyǎng	（动）	12
上瘾	shàngyǐn	（动）	4
上映	shàngyìng	（动）	14
设身处地	shè shēn chǔ dì	（成）	9
设施	shèshī	（名）	8
社交	shèjiāo	（名）	1
神	shén	（形）	1
升级	shēngjí	（动）	4
生分	shēngfen	（形）	13
盛行	shèngxíng	（动）	15
时不时	shíbùshí	（副）	5

时下	shíxià	（名）	4
识别	shíbié	（动）	11
实惠	shíhuì	（形）	7
始料不及	shǐ liào bù jí		6
势必	shìbì	（副）	12
视觉	shìjué	（名）	6
手足	shǒuzú	（名）	13
首位	shǒuwèi	（名）	3
受理	shòulǐ	（动）	5
瘦身	shòushēn	（动）	8
书评	shūpíng	（名）	3
枢纽	shūniǔ	（名）	5
双刃剑	shuāngrènjiàn	（名）	6
税务	shuìwù	（名）	5
瞬息万变	shùnxī wàn biàn	（成）	6
司空见惯	sī kōng jiàn guàn	（成）	13
私立	sīlì	（形）	2
私塾	sīshú	（名）	2
饲养	sìyǎng	（动）	10
搜索	sōusuǒ	（动）	4
素不相识	sù bù xiāngshí	（成）	7
素食	sùshí	（名、动）	10
随身	suíshēn	（形）	11
缩略	suōlüè	（动）	7
T 台词	táicí	（名）	14
坛	tán	（后缀）	15
蹚	tāng	（动）	11
倘若	tǎngruò	（连）	13
掏腰包	tāo yāobāo		13
淘汰	táotài	（动）	7
特长	tècháng	（名）	3
提交	tíjiāo	（动）	3
体面	tǐmiàn	（形）	8
体制	tǐzhì	（名）	4

替代	tìdài	（动）	5
天价	tiānjià	（名）	15
天经地义	tiān jīng dì yì	（成）	13
添置	tiānzhì	（动）	11
挑三拣四	tiāo sān jiǎn sì	（成）	9
跳绳	tiàoshéng	（动）	8
贴补	tiēbǔ	（动）	12
帖子	tiězi	（名）	5
同龄	tónglíng	（动）	2
头号	tóuhào	（形）	8
徒劳	túláo	（动）	11
推崇	tuīchóng	（动）	5
退学	tuìxué	（动）	2
脱口而出	tuō kǒu ér chū	（成）	14
拓宽	tuòkuān	（动）	5
W 外貌	wàimào	（名）	3
微薄	wēibó	（形）	12
围绕	wéirào	（动）	14
维护	wéihù	（动）	13
尾气	wěiqì	（名）	10
未免	wèimiǎn	（副）	9
温室气体	wēnshì qìtǐ		10
文案	wén'àn	（名）	4
文科	wénkē	（名）	2
无底洞	wúdǐdòng	（名）	6
无可非议	wú kě fēi yì	（成）	9
无可奈何	wú kě nàihé	（成）	2
无异	wúyì	（动）	5
无意	wúyì	（副）	1
X 吸尘	xī chén		8
吸毒	xīdú	（动）	4
昔日	xīrì	（名）	12
细节	xìjié	（名）	4
下坡路	xiàpōlù	（名）	8
香贵	xiāngguì	（形）	7

现任	xiànrèn	（形）	8
现状	xiànzhuàng	（名）	4
限定	xiàndìng	（动）	3
相聚	xiāngjù	（动）	13
相应	xiāngyìng	（动）	12
想必	xiǎngbì	（副）	10
想当然	xiǎngdāngrán	（动）	12
向往	xiàngwǎng	（动）	15
消防员	xiāofángyuán	（名）	3
消亡	xiāowáng	（动）	7
薪水	xīnshuǐ	（名）	9
信念	xìnniàn	（名）	3
型	xíng	（后缀）	10
羞辱	xiūrǔ	（动）	9
虚拟	xūnǐ	（形）	4
续集	xùjí	（名）	14
选手	xuǎnshǒu	（名）	15
学龄	xuélíng	（名）	2
雪上加霜	xuě shàng jiā shuāng	（成）	9
雪中送炭	xuě zhōng sòng tàn	（成）	1
循环	xúnhuán	（动）	10
Y 延伸	yánshēn	（动）	5
严峻	yánjùn	（形）	6
沿袭	yánxí	（动）	15
衍生	yǎnshēng	（动）	7
眼高手低	yǎn gāo shǒu dī	（成）	9
眼罩	yǎnzhào	（名）	11
厌倦	yànjuàn	（动）	14
艳遇	yànyù	（名）	14
养活	yǎnghuó	（动）	12
痒	yǎng	（形）	1
一目了然	yí mù liǎo rán	（成）	9
一点一滴	yì diǎn yì dī	（成）	10
一举两得	yì jǔ liǎng dé	（成）	8

依赖	yīlài	（动）	4	展现	zhǎnxiàn	（动）	14
移民	yímín	（名）	3	占便宜	zhàn piányi		12
遗忘	yíwàng	（动）	1	着迷	zháomí	（动）	4
疑义	yíyì	（名）	13	折腾	zhēteng	（动）	8
以便	yǐbiàn	（连）	3	折射	zhéshè	（动）	7
以貌取人	yǐ mào qǔ rén	（成）	8	哲理	zhélǐ	（名）	14
以至于	yǐzhìyú	（连）	6	诊断	zhěnduàn	（动）	4
益处	yìchu	（名）	6	阵容	zhènróng	（名）	14
因材施教	yīn cái shī jiào	（成）	2	征集	zhēngjí	（动）	1
引擎	yǐnqíng	（名）	4	征收	zhēngshōu	（动）	5
饮食	yǐnshí	（名）	8	整整	zhěngzhěng	（副）	11
应届	yīngjiè	（形）	9	支取	zhīqǔ	（动）	1
应变	yìngbiàn	（动）	11	蜘蛛	zhīzhū	（名）	5
应酬	yìngchou	（动）	5	职场	zhíchǎng	（名）	9
应对	yìngduì	（动）	9	指教	zhǐjiào	（动）	7
应运而生	yìng yùn ér shēng	（成）	5	指南	zhǐnán	（名）	11
拥堵	yōngdǔ	（动）	5	制片人	zhìpiànrén	（名）	14
有数	yǒushù	（动）	13	智力	zhìlì	（名）	3
有幸	yǒuxìng	（形）	3	种子	zhǒngzi	（名）	15
诱惑	yòuhuò	（动）	4	众多	zhòngduō	（形）	8
诱人	yòu rén		15	众所周知	zhòng suǒ zhōu zhī	（成）	9
郁闷	yùmèn	（形）	11	诸多	zhūduō	（形）	10
预测	yùcè	（动）	12	逐年	zhúnián	（副）	2
寓意	yùyì	（名）	15	主人公	zhǔréngōng	（名）	14
元素	yuánsù	（名）	7	主线	zhǔxiàn	（名）	14
原本	yuánběn	（副）	11	注册	zhùcè	（动）	2
约束	yuēshù	（动）	4	着想	zhuóxiǎng	（动）	15
云集	yúnjí	（动）	14	咨询	zīxún	（动）	7
熨	yùn	（动）	8	自拔	zìbá	（动）	4
Z 再接再厉	zài jiē zài lì	（成）	14	自卑	zìbēi	（形）	8
再就业	zàijiùyè	（动）	12	自理	zìlǐ	（动）	12
再生	zàishēng	（动）	10	自传	zìzhuàn	（名）	3
在乎	zàihu	（动）	1	足以	zúyǐ	（动）	6
赞助	zànzhù	（动）	15	罪过	zuìguo	（名）	6

《发展汉语》(第二版)
基本使用信息

教　材	适用水平	每册课数	每课建议课时	每册建议总课时
初级综合 (I)	零起点及初学阶段	30课	5课时	150-160
初级综合 (II)		25课	6课时	150-160
中级综合 (I)	已掌握2000-2500词汇量	15课	6课时	90-100
中级综合 (II)		15课	6课时	90-100
高级综合 (I)	已掌握3500-4000词汇量	15课	6课时	90-100
高级综合 (II)		15课	6课时	90-100
初级口语 (I)	零起点及初学阶段	23课	4课时	92-100
初级口语 (II)		23课	4课时	92-100
中级口语 (I)	已掌握2000-2500词汇量	15课	6课时	90-100
中级口语 (II)		15课	6课时	90-100
高级口语 (I)	已掌握3500-4000词汇量	15课	4课时	60-70
高级口语 (II)		15课	4课时	60-70
初级听力 (I)	零起点及初学阶段	30课	2课时	60-70
初级听力 (II)		30课	2课时	60-70
中级听力 (I)	已掌握2000-2500词汇量	30课	2课时	60-70
中级听力 (II)		30课	2课时	60-70
高级听力 (I)	已掌握3500-4000词汇量	30课	2课时	60-70
高级听力 (II)		30课	2课时	60-70
初级读写 (I)	零起点及初学阶段	12课	2课时	30-40
初级读写 (II)		12课	2课时	30-40
中级阅读 (I)	已掌握2000-2500词汇量	15课	2课时	30-40
中级阅读 (II)		15课	2课时	30-40
高级阅读 (I)	已掌握3500-4000词汇量	15课	2课时	30-40
高级阅读 (II)		15课	2课时	30-40
中级写作 (I)	已掌握2000-2500词汇量	12课	2课时	30-40
中级写作 (II)		12课	2课时	30-40
高级写作 (I)	已掌握3500-4000词汇量	12课	2课时	30-40
高级写作 (II)		12课	2课时	30-40

发展汉语 Developing Chinese 第二版 2nd Edition

综 合

◉ 初级综合（Ⅰ）含1MP3	ISBN 978-7-5619-3076-2	79.00元
◉ 初级综合（Ⅱ）含1MP3	ISBN 978-7-5619-3077-9	75.00元
◉ 中级综合（Ⅰ）含1MP3	ISBN 978-7-5619-3089-2	56.00元
◉ 中级综合（Ⅱ）含1MP3	即将出版	
◉ 高级综合（Ⅰ）含1MP3	ISBN 978-7-5619-3133-2	55.00元
◉ 高级综合（Ⅱ）含1MP3	即将出版	

口 语

◉ 初级口语（Ⅰ）含1MP3	即将出版	
◉ 初级口语（Ⅱ）含1MP3	即将出版	
◉ 中级口语（Ⅰ）含1MP3	ISBN 978-7-5619-3068-7	56.00元
◉ 中级口语（Ⅱ）含1MP3	ISBN 978-7-5619-3069-4	52.00元
◉ 高级口语（Ⅰ）含1MP3	ISBN 978-7-5619-3147-9	58.00元
◉ 高级口语（Ⅱ）含1MP3	ISBN 978-7-5619-3071-7	56.00元

听 力

◉ 初级听力（Ⅰ）含1MP3	ISBN 978-7-5619-3063-2	79.00元
◉ 初级听力（Ⅱ）含1MP3	ISBN 978-7-5619-3014-4	68.00元
◉ 中级听力（Ⅰ）含1MP3	ISBN 978-7-5619-3064-9	62.00元
◉ 中级听力（Ⅱ）含1MP3	ISBN 978-7-5619-2577-5	70.00元
◉ 高级听力（Ⅰ）含1MP3	ISBN 978-7-5619-3070-0	68.00元
◉ 高级听力（Ⅱ）含1MP3	ISBN 978-7-5619-3079-3	70.00元

"练习与活动"＋"文本与答案"

读 写

- ◉ 初级读写（Ⅰ）　即将出版
- ◉ 初级读写（Ⅱ）　即将出版

阅 读

- ◉ 中级阅读（Ⅰ）
  ISBN 978-7-5619-3123-3　29.00 元
- ◉ 中级阅读（Ⅱ）　即将出版
- ◉ 高级阅读（Ⅰ）
  ISBN 978-7-5619-3080-9　32.00 元
- ◉ 高级阅读（Ⅱ）
  ISBN 978-7-5619-3084-7　35.00 元

写 作

- ◉ 中级写作（Ⅰ）　即将出版
- ◉ 中级写作（Ⅱ）　即将出版
- ◉ 高级写作（Ⅰ）　即将
- ◉ 高级写作（Ⅱ）　即将

图书在版编目（CIP）数据

高级口语.1 / 王淑红编著. — 2版. — 北京：北
京语言大学出版社，2011.10
（发展汉语）
ISBN 978-7-5619-3147-9

Ⅰ.①高… Ⅱ.①王… Ⅲ.①汉语—口语—对外汉语
教学—教材 Ⅳ.①H195.4

中国版本图书馆 CIP 数据核字（2011）第 201035 号

| 书　　　名： | 发展汉语（第二版）高级口语（I） |
| 责任印制： | 汪学发 |

出版发行：北京语言大学出版社
社　　址：北京市海淀区学院路 15 号　　邮政编码：100083
网　　址：www.blcup.com
电　　话：发行部　010-82303650 / 3591 / 3651
　　　　　　编辑部　010-82303647 / 3592
　　　　　　读者服务部　010-82303653 / 3908
　　　　　　网上订购电话　010-82303668
　　　　　　客户服务信箱　service@blcup.net
印　　刷：北京画中画印刷有限公司
经　　销：全国新华书店

版　　次：2011 年 11 月第 2 版　　2011 年 11 月第 1 次印刷
开　　本：889 毫米 ×1194 毫米　　1/16
印　　张：14.5
字　　数：256 千字
号：ISBN 978-7-5619-3147-9 / H·11192
价：58.00 元